10-MINUTEN-TRAINING

Straffer Bauch und starker Rücken

Christof Baur
Bernd Thurner

10-MINUTEN-TRAINING

Straffer Bauch und starker Rücken

Weltbild

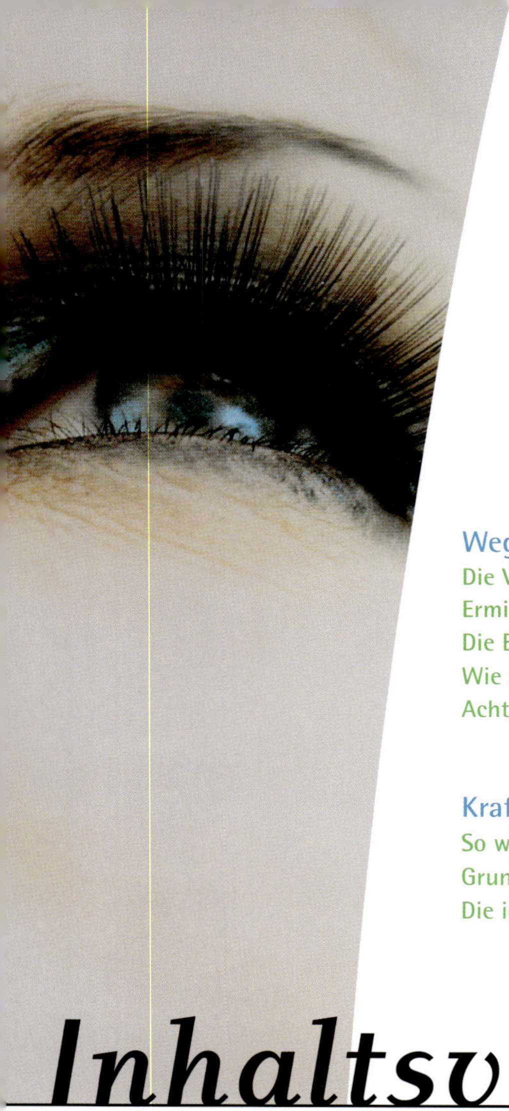

Inhaltsverzeichnis

EQUATOR
VANCOUVER
LONDON
SYDNEY
TOKYO

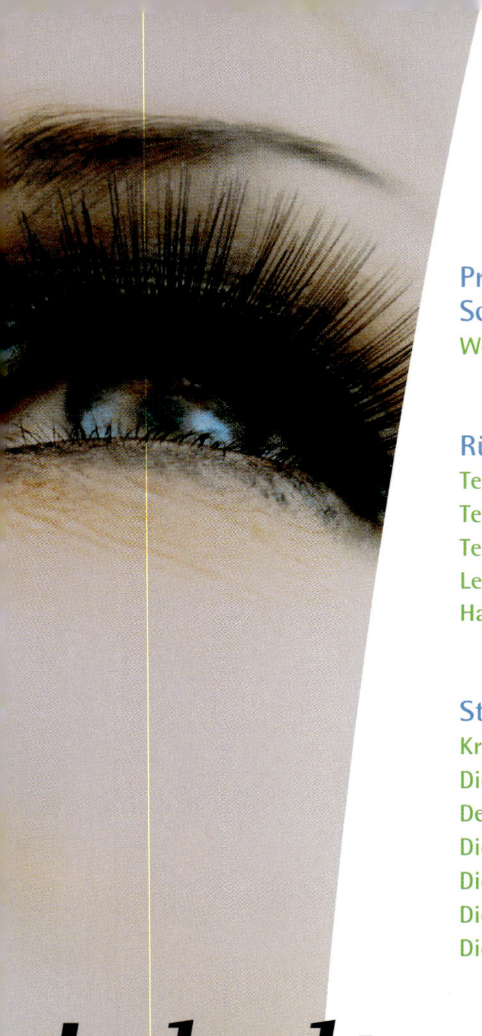

Inhaltsverzeichnis

EQUATOR
LONDON
TOKYO

Weg mit dem Bauch

Wer kennt ihn nicht, den Traum vom Waschbrettbauch. Eine gut trainierte Bauchmuskulatur sieht aber nicht nur besser aus, sie ist auch gesund. Denn sie fördert die Stabilität des Rumpfes und ist daher ein wirklich sinnvolles Mittel, um Rückenbeschwerden zu vermeiden.

Sie wünschen sich einen flachen und straffen Bauch, sind aber mit Fettpölsterchen und schlaffen Muskeln geschlagen? Dann ist es höchste Zeit für ein wirkungsvolles Bauch-Workout. Mit etwas Disziplin, gesunder Ernährung und einem effektiven Bauchtraining bekommen Sie Ihre Problemzone schnell in den Griff. Oft genügen schon zehn Minuten regelmäßiges Training, um erstaunliche Erfolge zu erzielen. Mit dem hier vorgestellten Trainingsprogramm kann der Traum vom Waschbrettbauch Wirklichkeit werden.

Die Voraussetzungen sind wichtig

Damit Sie effektiv trainieren können und Ihr Ziel möglichst schnell erreichen, müssen Sie zunächst Ihren aktuellen »IST-Zustand« prüfen und Ihr Training dann genau planen.

Aufschluss über Ihren aktuellen Gewichtsstatus gibt Ihnen der Body-Mass-Index (Seite 8). Er zeigt auf einen Blick, ob man über-, unter- oder normalgewichtig ist. Im Falle von Übergewicht ist für den Erfolg eine Ernährungsumstellung wichtig. Die Grundregeln für die gesunde Ernährung haben wir ab Seite 12 für Sie zusammengestellt.

Das Rückgrat des Trainings sind die umfangreichen Übungseinheiten. Der Schwerpunkt liegt dabei auf den Übungen zur Kräftigung der Bauchmuskeln. Damit Sie genau wissen, was Sie sich am Anfang zutrauen können und wie hoch die optimale Belastungsdosis ist, finden Sie am Anfang jeder Trainingseinheit einen Eingangstest. Um ein ungleichmäßiges Training zu verhindern, empfehlen wir, zusätzlich die Rückenmuskulatur zu stärken. Ab Seite 56 finden Sie entsprechende Ausgleichsübungen, die Ihren Rücken trainieren.

Entsprechend der verschiedenen Anteile der Bauchmuskulatur ist das Trainingsprogramm in vier übersichtliche Übungsbereiche gegliedert.

Wenn Sie das Training genau an Ihre Bedürfnisse und Fähigkeiten anpassen, werden sich die ersten spür- und sichtbaren Erfolge schon nach kurzer Zeit einstellen. Eine deutliche Straffung und Formänderung der Muskulatur stellt sich bei regelmäßigem Training (drei bis fünf Trainingseinheiten pro Woche) erfahrungsgemäß bereits nach vier bis sechs Wochen ein. Vor allem bei Anfängern zeigen sich nach wenigen Trainingseinheiten gute Erfolge bei der Kraftentwicklung. Der Schwierigkeitsgrad der Übungen muss deshalb entsprechend Ihrer steigenden Leistungsfähigkeit immer wieder angepasst werden.

Ermitteln Sie Ihren *Body-Mass-Index*

Eine objektive Einschätzung Ihres Körpergewichts bietet Ihnen der Body-Mass-Index (BMI). Mit ihm können Sie einfach und schnell Ihre individuellen Voraussetzungen bestimmen. Und so wird's gemacht: Wählen Sie in der unten stehenden Tabelle Ihre Größe (Spalte links) und Ihr Gewicht (Spalte rechts). Verbinden Sie die beiden Werte mit einer Geraden. Der Schnittpunkt auf der BMI-Achse (Mitte) zeigt Ihren persönlichen Wert an.

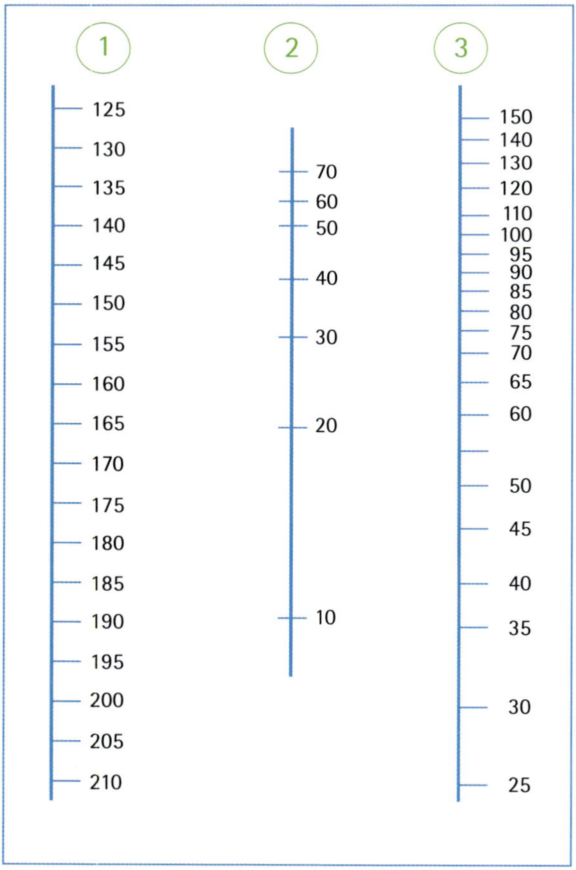

Sollte Ihr BMI-Wert über dem Normalgewicht liegen (siehe Auswertung Seite 9), empfiehlt sich neben Kräftigungsübungen zur Straffung der Bauchmuskulatur ein regelmäßiges und intensives Ausdauertraining, um an Problemzonen unschöne und überflüssige Fettpölsterchen schnell und effektiv abzubauen. Wissenswertes zu diesem Thema finden Sie ab Seite 52.

Sie können den BMI auch berechnen. Die Formel dazu lautet:

$$\text{BMI} = \frac{\text{Körpergewicht in kg}}{(\text{Körpergröße in m})^2}$$

1 = Körpergröße in cm
2 = BMI
3 = Körpergewicht in kg
(aus Buskies/Boeckh-Behrens)

Bewertung des BMI

- Liegt der BMI-Wert im Schnittpunkt **unter 18**, so haben Sie Untergewicht. In diesem Fall ist eine Gewichtszunahme zu empfehlen, um Wohlbefinden und Leistungsfähigkeit zu steigern.
- Wünschenswert ist ein BMI-Wert **zwischen 18 und 25**. Liegt Ihr Gewicht in diesem Bereich, sind Sie normalgewichtig.
- Wenn der Wert **zwischen 26 und 30** liegt, haben Sie leichtes Übergewicht. Sie sollten versuchen abzunehmen, vor allem wenn bereits eine Krankheit vorliegt, wie z. B. Zuckerkrankheit, Bluthochdruck, Gicht oder eine andere Stoffwechselstörung.
- Eine Gewichtsreduzierung ist dringend anzuraten, wenn der BMI-Wert **über 30** liegt.

In Deutschland sind 30 bis 40 Prozent der Bevölkerung übergewichtig. Fast jeder dritte Mann und beinahe jede zweite Frau über 50 Jahre leidet an Übergewicht.

Die Bedeutung des *Körperfettanteils*

Einen größeren Aussagewert als das reine Körpergewicht hat der Körperfettanteil. So kann eine durchtrainierte Person aufgrund ihrer Muskelmasse ein relativ hohes Körpergewicht haben, obwohl der Körperfettanteil sehr niedrig ist. Umgekehrt kann ein leichter Mensch einen hohen Fettwert aufweisen, was auf einen schlechten Trainingszustand schließen lässt. Liegt Ihr Körperfettanteil über 30 Prozent, sollten Sie ein regelmäßiges Ausdauertraining durchführen.

Körperfettanalysen lassen sich heute einfach und schnell mit speziellen Waagen durchführen. Auch viele Fitnessstudios bieten Körperfettanalysen an.

Waagen für die Bestimmung des Körperfettanteils sind im Handel bereits ab etwa 90 Euro erhältlich.

Körperfett	Männer	Frauen
Essenzielles Fett	< 5 %	< 12 %
Athletisch	5 – 13 %	12 – 22 %
Gesund	14 – 30 %	23 – 33 %
Übergewicht	> 30 %	> 33 %

Wie entstehen *Problemzonen?*

Sind Bauch, Beine und Po zu dick, spricht man von Problemzonen. Aber was sind die Ursachen dafür, dass der Körper nicht stramm und fest ist, sondern Fettpölsterchen unser Wohlbefinden beeinträchtigen?

Die unveränderlichen Erbanlagen

Der Körperbau eines jeden Menschen ist genetisch vorgegeben. Anatomische Voraussetzungen wie kurze oder lange Beine, ein schmales oder breites Becken sind von Anfang an festgelegt und auf natürlichem Weg unveränderlich. Auch das Ausmaß der Fettspeicherung ist individuell verschieden und genetisch programmiert. Gleiches gilt für die Art und Weise, wie sich das Fett im Körper ablagert. Bei einigen Menschen setzt es sich vorwiegend an Bauch und Hüften ab, bei anderen verteilt es sich gleichmäßig und fällt somit weniger auf. Akzeptieren Sie Ihren Körper und versuchen Sie ihn durch Bewegung und gesunde Ernährung optimal zu formen und zu straffen. So tun Sie etwas Gutes für Ihre Gesundheit und für Ihr Aussehen.

Wenn Fettpölsterchen trotz Sport und gesunder Ernährung nicht schwinden, sind meist die Erbanlagen schuld.

Die Bedeutung der Energiebilanz

Die häufigste Ursache für Übergewicht und einen hohen Körperfettanteil ist jedoch eine ungünstige Energiebilanz. Das bedeutet: Ein Zuviel an Nahrung in Kombination mit zu wenig Bewegung führt zum Abspeichern der Energie und so zu überflüssigem Körperfett! Kalorien, die nicht verbraucht werden, lagern sich dabei als Depotfett im Unterhautgewebe an. Wollen Sie also effektiv und langfristig Gewicht und Fett reduzieren, muss Ihr täglicher Energieverbrauch (durch Bewegung) höher sein als die tägliche Energieaufnahme (durch die Nahrung).

Abnehmen ist nur dann möglich, wenn der Energieverbrauch über der Energieaufnahme liegt.

Im Rahmen der Energiebilanz spielt die Energieaufnahme durch die Nahrung naturgemäß die entscheidende Rolle. Eine allgemein gültige Regel für den täglichen Energiebedarf gibt es aber nicht. Er ist individuell verschieden und richtet sich unter anderem nach den genetischen Voraussetzungen und nach den körperlichen Belastungen und Tätigkeiten. Der Energieverbrauch wird dabei unterteilt in Grundumsatz und Leistungsumsatz.

Der Grundumsatz ist die Energie, die zum Erhalt der Lebensfunktionen verbraucht wird. Etwa 60 Prozent davon werden allein zur Aufrechterhaltung einer konstanten Körpertemperatur benötigt. Der Leistungsumsatz ist die Energiemenge, die für jegliche Art von körperlicher Tätigkeit benötigt wird.

Der tägliche Energiebedarf

Der Gesamtenergiebedarf des Menschen ist individuell sehr verschieden. Im Allgemeinen haben Männer einen höheren Energieverbrauch als Frauen. Grund dafür ist der größere Anteil an stoffwechselaktivem Muskelgewebe beim Mann.

Die Umrechnung von Kilokalorien (kcal) in Kilojoule (kJ) ist ganz einfach: 1 Kilokalorie entspricht 4,2 Kilojoule.

Bei leichter, vorwiegend sitzender Tätigkeit ergeben sich folgende Orientierungswerte für den Energieverbrauch:

- Für Frauen: 8400 bis 9200 Kilojoule (2000 bis 2200 Kilokalorien). Der Grundumsatz liegt im Durchschnitt bei 7000 Kilojoule.
- Für Männer: 10 000 bis 11 000 Kilojoule (2400 bis 2600 Kilokalorien). Der Grundumsatz liegt durchschnittlich bei 8500 Kilojoule.

Problemzonen effektiv abbauen

Je größer die körperliche Belastung ist, desto höher ist der Leistungsumsatz. Das bedeutet, Sie können durch Sport und Bewegung Ihren Energieverbrauch steigern und letztendlich dadurch aktiv Fett abbauen. Bewegung, die Muskulatur aufbaut, beeinflusst zudem den Grundumsatz positiv! Denn durch gezieltes Kräftigungstraining erhöhen Sie die Muskelmasse und steigern dadurch Ihren Grundumsatz. Sie haben also bereits ohne Bewegung einen größeren Gesamtverbrauch an Energie.

Durch Sport erhöht sich der Leistungsumsatz, dadurch wird mehr Energie verbraucht, Problemzonen werden abgebaut.

Gut zu wissen

Ausdauertraining gegen Fettpölsterchen

Die Annahme, mit Kräftigungsübungen gezielt an einer Stelle abnehmen zu können, ist leider falsch. Der Fettabbau durch Muskeltraining ist nämlich im Vergleich zu Ausdauerbelastungen relativ gering. Entsprechend Ihren individuellen Voraussetzungen ist also die eine oder die andere Trainingsart wichtiger für Sie.

Achten Sie auf Ihre *Ernährung*

Nur eine langfristige Umstellung der Ernährung hilft, Übergewicht dauerhaft zu bekämpfen. Crashkuren begünstigen nur den Jo-Jo-Effekt.

Wenn Sie ernsthaft etwas für eine gute Figur tun wollen, spielt die Ernährung neben der Bewegung eine entscheidende Rolle. Eine bewusste Ernährung bedeutet nicht, sklavisch Kalorien zu zählen, sondern sich gesund und vor allem bewusst zu ernähren. Das Angebot an Lebensmitteln ist heute sehr reichhaltig, und es sollte Ihnen leicht fallen, die richtige Auswahl zu treffen. Wenn Sie sich abwechslungsreich und vollwertig ernähren, sind Sie auf dem richtigen Weg.

Vollwertig bedeutet eine vollständige Versorgung mit allen lebensnotwendigen Nahrungssubstanzen, Mineralstoffen, Vitaminen und essenziellen (ungesättigten) Fettsäuren. Vollkornprodukte, Kartoffeln, Gemüse und Früchte sollten auf Ihrem Speiseplan vielseitig variiert werden. Vor allem Obst und Gemüse weisen einen hohen Gehalt an Vitaminen, Mineral- und Ballaststoffen auf. Zucker und Süßigkeiten sind dagegen absolut entbehrlich. Die Ernährung sollte zudem Ihrem persönlichen Bedarf angepasst sein. Ein körperlich geforderter Arbeiter bzw. Sportler benötigt selbstverständlich eine andere Nahrungszusammensetzung und eine höhere Energiezufuhr als ein Mensch, der den ganzen Tag am Schreibtisch sitzt.

Vermeiden Sie bei Ihrer Ernährung versteckte Fette, die beispielsweise in Wurst und Käse verborgen sind. Auch die meisten Fertigprodukte sind sehr fettreich.

Fett macht fett

Fetthaltiges Essen steigert die Energiezufuhr enorm, denn in Fett sind die meisten Kalorien enthalten: Ein Gramm Fett enthält ungefähr neun Kilokalorien. Der Energiegehalt von Kohlenhydraten und Eiweiß ist mit vier Kilokalorien im Vergleich dazu weniger als halb so hoch. Meiden Sie deshalb Lebensmittel mit hohem Fettgehalt. Viele Wurst- und Käsesorten sind dafür bekannt, dass sie sehr fetthaltig sind. Aber auch Kuchen und Knabbergebäck zählen zu den »Übeltätern«: So enthalten z. B. 100 Gramm Stollen rund 22 Gramm Fett. Kartoffelchips bestehen sogar bis zu 40 Prozent aus Fett!

Die optimale Nahrungszusammensetzung

Für die richtige Zusammensetzung der Nahrung gibt es Richtwerte:

- Der größte Anteil der Nahrung (etwa 55 bis 60 Prozent) sollte in Form von Kohlenhydraten aufgenommen werden. Kartoffeln, Brot,

Reis und Nudeln sind reich an Kohlenhydraten und können beinahe in unbegrenzten Mengen verzehrt werden.

- Der Eiweißanteil der Nahrung sollte etwa 10 bis 15 Prozent betragen. Die in der Nahrung enthaltenen Proteine sind für den Aufbau von Körpereiweiß notwendig. Nicht nur Fleisch, sondern auch Eier, Milch- und Sojaprodukte sind gute Eiweißquellen.
- Die täglich aufgenommene Fettmenge sollte höchstens 70 bis 80 Gramm betragen. Wer abnehmen will, darf sogar nur 30 Gramm Fett zu sich nehmen. Die so genannten einfach ungesättigten Fettsäuren sollten dabei den Hauptanteil der aufgenommenen Fette ausmachen. Sie sind vor allem in kaltgepresstem Olivenöl enthalten. Sie können vom Körper leicht verarbeitet werden und haben eine gesundheitsfördernde Wirkung. Transfettsäuren, die bei der Herstellung und Verarbeitung von bestimmten Nahrungsmitteln verwendet werden, sollten dagegen strikt gemieden werden. Sie befinden sich vor allem in Fertigprodukten wie Tiefkühlpizza, Pommes frites sowie in Margarine, Back- und Bratfett.

Brot und Nudeln gelten als Dickmacher. Es sind aber meist die Saucen und Brotbeläge, die an den überflüssigen Pfunden schuld sind.

So sieht die Praxis aus

- Essen Sie möglichst abwechslungsreich und vermeiden Sie einseitige Ernährung.
- Versuchen Sie keine Radikaldiäten! Es besteht die Gefahr von Mangelernährung. Zudem werden leere Fettdepots schneller wieder aufgebaut als vor der Diät. Dieses Phänomen nennt man Jo-Jo-Effekt.
- Mehrere kleinere Mahlzeiten am Tag sind (bei gleicher Kalorienzahl!) sinnvoller als drei große. Sie vermeiden dadurch Leistungsabfall und Heißhunger, der oft zu unkontrolliertem Essen führt.
- Essen Sie ballaststoffreich, also viele Vollkornprodukte, viel Obst und Gemüse. Das sättigt und hat wenig Kalorien.
- Achten Sie bei Ihrer Ernährung auf ein ausgewogenes Verhältnis von Kohlenhydraten, Eiweiß und Fett (siehe oben).
- Kontrollieren Sie Ihren Fettverzehr: Meiden Sie versteckte Fette, die in Torten, Saucen, Süßigkeiten, vielen Käsesorten, Fleisch und Wurstwaren verborgen sind. Empfehlenswert ist eine Umstellung der Essenszubereitung. Fettsparende Gartechniken im Wok oder Tontopf sind sinnvoll. Bevorzugen Sie pflanzliche Fette (z. B. Oliven- und Distelöl) gegenüber Streich- und Bratfetten.

Die häufigsten Ursachen für Übergewicht sind neben zu wenig Bewegung übermäßiger Fett- und Alkoholkonsum. Ein Gramm Alkohol (7 kcal) enthält fast doppelt so viele Kalorien wie ein Gramm Kohlenhydrate (4 kcal).

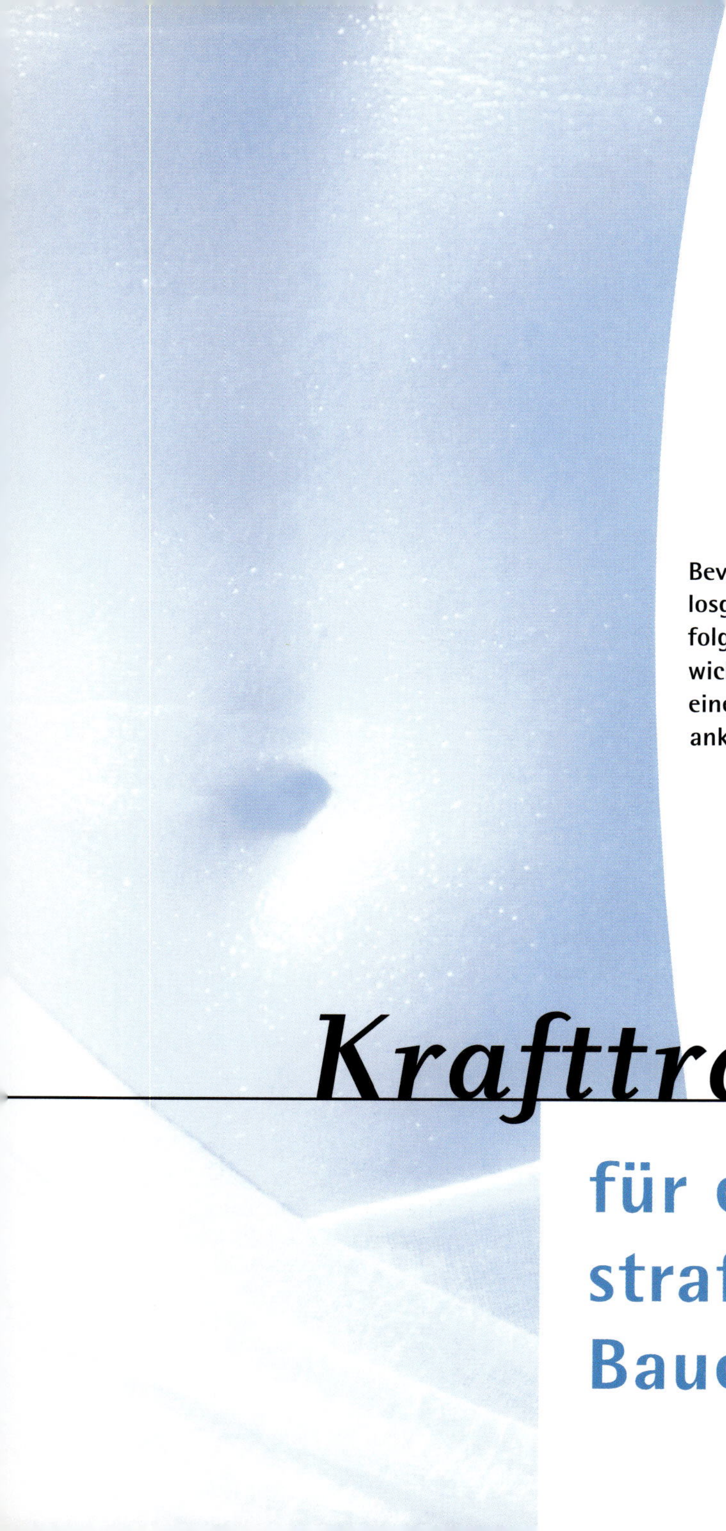

Bevor es mit den Übungen losgeht, erhalten Sie auf den folgenden Seiten noch einige wichtige Tipps, worauf es bei einem effektiven Bauchtraining ankommt.

Krafttraining für einen straffen Bauch

Um den Trainingseffekt zu optimieren, müssen Sie sich schon im Vorfeld genau überlegen, was Sie erreichen und wie Sie trainieren wollen.

So wirkt ein gezieltes *Krafttraining*

Das in diesem Buch vorgestellte Trainingsprogramm enthält im Wesentlichen zwei Grundformen des Muskeltrainings: das Kraftausdauertraining und das Muskelaufbautraining.

Kraftausdauertraining

Übungen mittlerer Intensität werden beim Kraftausdauertraining mit hohen Wiederholungszahlen (gesamt 60 bis 150) durchgeführt. Diese Art des Trainings verbessert die Kraftausdauer der Muskulatur und dient als Vorbereitung für das anschließende Muskelaufbautraining. Der Vorteil gegenüber dem Muskelaufbau ist der höhere Energieverbrauch, die straffende Wirkung ist jedoch geringer.

Das Kraftausdauertraining ermöglicht gleichzeitigen Fettab- und Muskelaufbau.

Muskelaufbautraining

Das Muskelaufbautraining umfasst Übungen mit hoher Belastung und relativ geringem Wiederholungsumfang (gesamt 40 bis 75). Es bewirkt einen Muskelzuwachs und eine Verbesserung der Maximalkraft. Dadurch erreichen Sie eine Formänderung und Straffung der Muskulatur. Weiterer positiver Effekt: Die aufgebaute Muskulatur verbraucht Energie und steigert den Grundumsatz. So haben Sie bereits in Ruhe ohne körperliche Arbeit einen erhöhten Energieverbrauch. Ihr Trainingsprogramm sollte daher vor allem diese Art der Beanspruchung beinhalten.

Das Muskelaufbautraining sorgt für einen schnellen Muskelzuwachs. Der Energieverbrauch während des Trainings ist aber relativ gering, sodass der Fettabbau während des Trainings keine große Rolle spielt.

Das Optimalprogramm

Den besten Trainingseffekt erzielen Sie, wenn Sie Muskelaufbau- mit Kraftausdauertraining kombinieren. Welche Art des Trainings für Sie dabei wichtiger ist, müssen Sie für sich selbst entscheiden. Ihr BMI-Wert bzw. der Körperfettanteil kann Ihnen dabei eine Orientierungshilfe geben. Bei starkem Übergewicht sollten Sie zusätzlich noch Trainingseinheiten mit intensivem Ausdauertraining (ab Seite 52) in Ihr Fitnessprogramm einfließen lassen.

Grundregeln für ein erfolgreiches Training

Führen Sie Ihrem Körper nach dem Training ausreichend Flüssigkeit zu. Das beschleunigt die Regeneration. Verzichten Sie aber auf süße Limonaden! Trinken Sie stattdessen Mineralwasser.

Für ein sinnvolles, erfolgreiches Trainingsprogramm, das Ihren Bedürfnissen entspricht, sollten Sie zuerst Ihren momentanen Leistungsstandard prüfen. Nur so können Sie Ihr individuelles Bodyworkout mit den effektivsten Übungen erstellen. Die richtige Belastungsdosierung entscheidet nämlich über den Erfolg, denn weder Überlastung noch Unterforderung sind ratsam. Am Anfang der einzelnen Übungskapitel finden Sie daher jeweils einen Eingangstest, der Sie über Ihren aktuellen »IST-Zustand« informiert.

Für ein vernünftiges, erfolgsorientiertes Krafttraining lauten die wichtigsten Grundregeln:

1. Regelmäßigkeit des Trainings
2. Einhalten von angemessenen Erholungsphasen
3. Sinnvolle Belastungssteigerungen

Trainieren Sie also regelmäßig und vermeiden Sie zu große Trainingsabstände! Ein Training in der Woche ist nicht genug. Angemessen sind zwei bis vier Kräftigungseinheiten pro Woche. So erzielen Sie schnell deutliche Erfolge. Außerdem muss das Training über einen längeren Zeitraum durchgeführt werden. Achten Sie auch auf regelmäßige Trainingsunterbrechungen. Ein Tag Pause zur nächsten Kräftigungseinheit ist für Fortgeschrittene ausreichend. Anfänger benötigen nach einem intensiven Training in der Regel zwei bis drei Tage Erholung. Entwickeln Sie ein Gefühl für Ihr Wohlempfinden und beachten Sie die Signale Ihres Körpers.

! Vorsicht

Vermeiden Sie Überlastung

Eine Überforderung ist aus trainingsphysiologischer Sicht ebenso ungünstig wie eine Unterforderung. Sind Sie erschöpft oder körperlich geschwächt, beispielsweise durch eine Erkältung oder sonstige Erkrankung, dann sollten Sie sich eine längere Pause gönnen.

Planen Sie Ihre Trainingswoche

Wenn Sie konsequent trainieren, werden Sie schnell ein völlig neues Körperbewusstsein erlangen. Damit sich dieses neue Körpergefühl möglichst schnell einstellt, sollten Sie versuchen, sich feste Trainingstage einzurichten. So fördern Sie ein regelmäßiges Training, und der Erfolg bleibt nicht dem Zufall überlassen. Vier bis sechs Wochen sind ein überschaubarer Zeitraum. Optimal ist es, wenn Sie schon im Voraus Ihre Trainingszeiten und -ziele einplanen. Schauen Sie dabei mindestens eine Woche voraus. Die Trainingseinheiten sollten entsprechend dokumentiert werden. Im Serviceteil auf den Seiten 74 und 75 finden Sie die Kopiervorlage für einen Wochenplaner, in den Sie Ihre persönlichen Trainingsvorgaben eintragen können. Die beiden Musterpläne auf Seite 73 zeigen Ihnen beispielhaft, wie Ihre Trainingswoche aussehen könnte.

Setzen Sie sich ein realistisches Ziel. Wenn Sie es mit dem Training übertreiben, überlasten Sie Ihren Körper, und die gewünschten Effekte werden sich nicht einstellen.

Die ersten Erfolge

Um einen deutlichen Effekt für Ihren Körper zu erzielen, sollten Sie mindestens 16 bis 20 Trainingseinheiten absolvieren. Bei viermaligem Training in der Woche können Sie also bereits nach vier bis sechs Wochen mit deutlichen Fortschritten rechnen. Ihr Körper wird sich schnell an die neue Belastung gewöhnen. Entsprechend Ihrer steigenden Leistungsfähigkeit muss der Schwierigkeitsgrad Ihres Übungsprogramms angepasst werden. Sie finden deshalb in jedem Übungskapitel einen Trainingsplan, der Ihren aktuellen Leistungszustand berücksichtigt, um so die Belastungsdosis zu optimieren.

Ausgleichstraining ist wichtig

Eine gut trainierte Bauchmuskulatur fördert die Stabilität des Rumpfes und ist daher ein wichtiges Mittel, um Rückenbeschwerden zu vermeiden. Rückenbeschwerden sind Volkskrankheit Nummer eins, und vor allem chronische Rückenpatienten haben oft ein deutliches Defizit im Bereich der Bauchmuskulatur. Für die Stabilisierung der Wirbelsäule benötigt man natürlich auch eine gut ausgebildete Rückenmuskulatur. Sie sollten daher in jede Trainingseinheit auch Übungen für die rückwärtige Muskulatur einbauen. Dadurch vermeiden Sie eine einseitige Belastung. Übungsbeispiele für die Rücken- und Gesäßmuskulatur finden Sie ab Seite 56.

Brechen Sie Übungen ab, wenn Sie sie nicht schmerzfrei durchführen können.

Die ideale *Übungszusammenstellung*

Eine gut ausgebildete gerade Bauchmuskulatur formt einen flachen Bauch, die schräge und die quere Bauchmuskulatur beeinflussen die Formung der Taille günstig.

Die Bauchmuskulatur wird in gerade, schräge und quere Muskelgruppen unterteilt. Die unterschiedlichen Verlaufsrichtungen erlauben Vorwärts-, Seit- und Drehbewegungen des Rumpfes. Entsprechend der vielfältigen Funktionen der Bauchmuskeln sollte das Training abwechslungsreich gestaltet werden. Ob Anfänger oder Könner, in den nächsten Kapiteln finden Sie abwechslungsreiche und leicht nachvollziehbare Übungsreihen, die alle Bereiche Ihrer Bauchmuskulatur ansprechen und so für ein optimales Training und eine ideale Körperformung sorgen. Der Trainingsteil besteht aus den folgenden vier Übungsgruppen:

1. Übungen für die gerade Bauchmuskulatur (ab Seite 20)
2. Bauchstabilisation (ab Seite 28)
3. Übungen für die schrägen Bauchmuskeln (ab Seite 36)
4. Übungen für die queren Bauchmuskeln (ab Seite 44)

Die Übungsgruppen 1 und 2 trainieren vor allem die gerade Bauchmuskulatur für einen flachen Bauch. Die Bereiche 3 und 4 formen Ihre Taille. Wählen Sie mindestens eine Übungsgruppe zur Kräftigung der geraden Bauchmuskulatur (1 oder 2) und eine Übungsreihe zum Training der diagonalen bzw. queren Bauchmuskulatur (3 oder 4). Den größten und schnellsten Erfolg erzielen Sie aber, wenn Sie alle vier Übungen miteinander kombinieren. Zusätzlich empfehlen wir, jede Übungsreihe mit einer Ausgleichsübung zur Kräftigung der Rückenmuskulatur (ab Seite 56) zu ergänzen.

So wird's gemacht!

Wählen Sie zunächst mindestens zwei Übungsgruppen für die Muskelgruppen aus, die Sie trainieren wollen. Absolvieren Sie dann den jeweiligen Eingangstest. Anhand der erreichten Testwerte wählen Sie aus dem Trainingsplan – unterteilt in Anfänger-, Fortgeschrittenen- und Könnerstufe – die für Sie passenden Übungen aus. Notieren Sie Ihre Trainingseinheiten am besten in den Wochenplaner auf Seite 128/129. Das verschafft Überblick und animiert zu regelmäßigem Training.

So sieht die Praxis aus

- Beachten Sie die genauen Trainingsvorgaben bezüglich Wiederholungszahlen und Pausen.
- Achten Sie auf die exakte Übungsausführung. Das genaue Einhalten der Ausgangs- und Endstellung ist wichtig!
- Vermeiden Sie ruckartige Bewegungen ebenso wie Hilfs- und Ausweichbewegungen. Eine gleichmäßig langsame Ausführung verhindert unnötige Belastungen der Wirbelsäule und steigert den Trainingseffekt.
- Um Ihren Kreislauf anzukurbeln, wärmen Sie sich vor dem Training etwa fünf Minuten aktiv auf. Beginnen Sie mit einfachen Ganzkörperübungen, wie z. B. lockeres Gehen, Laufen oder Treppensteigen auf der Stelle.
- Vermeiden Sie ein abruptes Ende Ihres Fitnessprogramms und gönnen Sie sich einige Minuten der Entspannung und Erholung (Cool-down-Phase). Wählen Sie eine für Sie entspannende Lage (z. B. in Seitlage Körper einrollen) und hören Sie in Ihren Körper hinein. Sie können Ihr Training auch mit leichten Dehnungsübungen beenden. Auf jeden Fall sollten Sie Ihr Programm so abschließen, dass Sie schon jetzt Lust auf das nächste Mal verspüren.
- Atmen Sie während der Übungen ruhig und gleichmäßig. Beim Bauchmuskeltraining gilt: Beim Anbeugen des Oberkörpers ausatmen, beim Absenken einatmen.
- Halten Sie während dem Üben permanent Ihre Muskelspannung. Setzen Sie den Körper nicht ab, nur so entsteht ein optimaler Trainingseffekt.
- Vermeiden Sie Überlastungen! Die jeweiligen Übungen dürfen nur schmerzfrei durchgeführt werden. Sollten Sie unter bereits lang andauernden Rückenschmerzen leiden, empfehlen wir auf alle Fälle eine Rücksprache mit Ihrem Arzt oder Krankengymnasten.
- Bei Symptomen wie Krämpfen, Schwindel oder Übelkeit sollten Sie jede Trainingsform abbrechen!
- Benutzen Sie eine bequeme, aber nicht zu weiche Unterlage. Geeignet sind z. B. Gymnastikmatten oder so genannte Iso-Matten. Bei allen Übungen, bei denen der Rücken auf dem Boden aufliegen soll, können Sie Ihre Lendenwirbelsäule mit einem kleinen festen Kissen oder einem speziellen Lendenkissen abstützen.

Gut trainierte Bauchmuskeln beeinflussen eine aufrechte Haltung entscheidend. Wer sich gerade hält, gilt als selbstbewusst und erfolgreich.

Schon mit regelmäßigem, 10- bis 15-minütigem Training erzielen Sie Erfolge bei der Bekämpfung Ihrer Problemzonen.

Übungsziel dieser Trainingseinheit ist es, die gerade Bauchmuskulatur zu kräftigen, damit der Bauch schön flach wie ein Brett wird.

Der gerade Bauchmuskel –

Training für einen flachen Bauch

Der gerade Bauchmuskel lässt sich relativ schnell stärken. Beginnen Sie am besten sofort mit dem regelmäßigen Training!

Testen Sie Ihre *Muskulatur*

Um zu testen, wie es um Ihre Bauchmuskulatur bestellt ist, machen Sie folgende Übung:

Test Bewegungsablauf

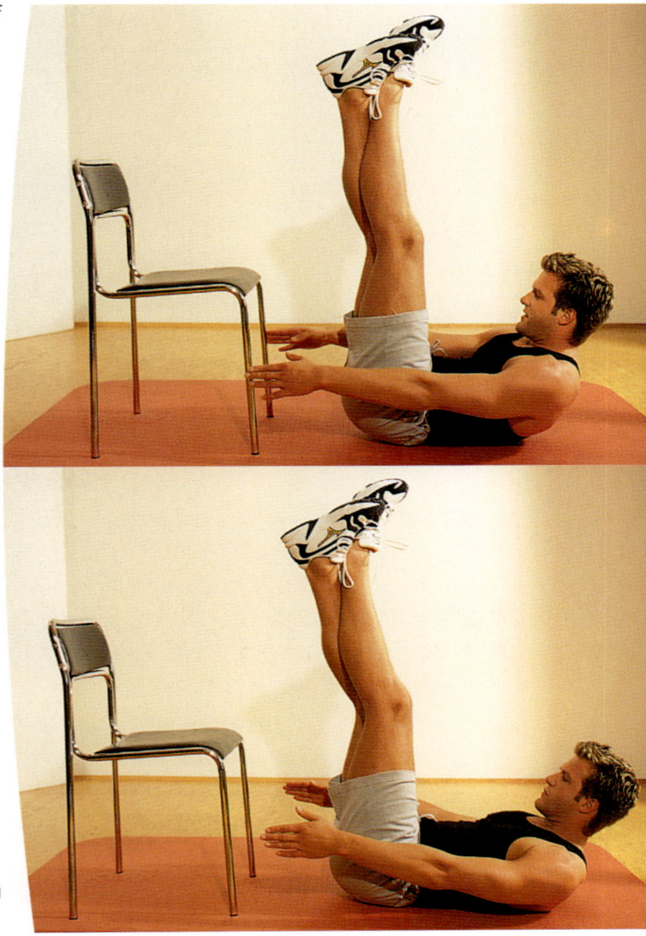

Ausgangsposition: Legen Sie sich auf den Rücken; die Unterschenkel liegen auf einem Stuhl. Beine überkreuzen und senkrecht in die Luft strecken. Rollen Sie den Oberkörper nach vorn ein und schieben Sie die Stuhlbeine mit den Armen von sich weg. Die Testposition ist erreicht, wenn Sie den Rücken so weit es geht nach oben gerollt haben, die Lendenwirbel den Boden aber noch berühren.

Endposition: Senken Sie langsam den Oberkörper bis knapp über den Boden. Rollen Sie dann den Oberkörper wieder nach vorn und berühren Sie mit den Fingern die Stuhlbeine. Die Position kurz halten, wieder absenken. Wie viele Wiederholungen schaffen Sie?

Auswertung:
- 0–12: Starten Sie in der Anfängerklasse.
- 13–20: Sie können mit dem Fortgeschrittenenprogramm beginnen.
- Mehr als 20: Los geht's mit dem Könnerprogramm.

Ihr persönliches *Trainingsprogramm*

Mit diesem Plan können Sie Ihr Training ganz genau einteilen. Das Vorbereitungstraining ist vor allem bei Anfängern wichtig, um den Körper schrittweise an höhere Belastungen zu gewöhnen.

	Übung 1 (Seite 23)	Übung 2 (Seite 24)	Übung 3 (Seite 24)	Übung 4 (Seite 25)	Übung 5 (Seite 26)	Übung 6 (Seite 26)	Übung 7 (Seite 27)
1.–4. TE	3 x 15 WH Pause 30 s	3 x 15 WH Pause 30 s	4 x 20 WH Pause 30 s				
5.–8. TE		4 x 15 WH Pause 30 s	4 x 20 WH Pause 30 s	4 x 20 WH Pause 30 s			
9.–12. TE			4 x 20 WH Pause 30 s	4 x 20 WH Pause 30 s	4 x 20 WH Pause 30 s		
13.–16. TE				4 x 20 WH Pause 30 s	4 x 20 WH Pause 30 s	4 x 15 WH Pause 60 s	
17.–20. TE					4 x 20 WH Pause 30 s	4 x 15 WH Pause 60 s	4 x 12 WH Pause 90 s
21.–24. TE						4 x 15 WH Pause 60 s	4 x 12 WH Pause 90 s
25.–28. TE							4 x 12 WH Pause 90 s
	Vorbereitungstraining		Kraftausdauertraining			Maximalkrafttraining	

TE = Trainingseinheit bzw. Trainingstag
WH = Wiederholungen
s = Sekunden
Anfängerprogramm: schwarz
Fortgeschrittenen-programm: grün
Könnerprogramm: blau

Beispiel: Wenn Sie beim Test 17 Wiederholungen erreicht haben, beginnen Sie Ihr Training mit dem Programm für Fortgeschrittene. Das bedeutet, dass Sie alle Übungen turnen, die auf dem Trainingsplan grün gekennzeichnet sind.

Die ersten vier Trainingseinheiten (bzw. Trainingstage) führen Sie Übung 2 durch. Wiederholen Sie die Übung jeweils 15-mal: das entspricht einem Durchgang (Satz). Machen Sie anschließend eine Pause von 30 Sekunden und fangen Sie noch einmal an. Insgesamt müssen Sie drei Durchgänge absolvieren.

Die fünfte Trainingseinheit (bzw. der fünfte Trainingstag) beginnt mit Übung 3. Jetzt turnen Sie vier Sätze à 20 Wiederholungen usw.

Die besten *Übungen*

Übung 1

Ausgangsposition: Stellen Sie einen stabilen Stuhl mit der Sitzfläche nach unten an eine Wand und lehnen Sie sich mit dem Rücken an die Stuhllehne. Winkeln Sie die Beine an und strecken Sie die Arme nach vorn. Legen Sie eventuell eine Handtuchrolle oder ein Lendenkissen unter die Lendenwirbel. Heben Sie den Oberkörper leicht an.

Halten Sie während aller Übungen die Spannung in der Bauchmuskulatur und achten Sie darauf, dass Ihre Bewegungen langsam und ganz gleichmäßig sind.

Endposition: Machen Sie ein Doppelkinn und beugen Sie sich mit gestreckten Armen langsam nach vorn, indem Sie den Oberkörper einrollen, mit der Lendenwirbelsäule jedoch an der Lehne bleiben. Kopf und Wirbelsäule bilden dabei eine Linie.

Variante: Anstelle eines Stuhls können Sie auch ein breites Brett verwenden, dann lässt sich der Schwierigkeitsgrad beliebig verändern. Je schräger das Brett, desto schwerer wird die Übung.

Übung 1: Endposition

Expertentipp

Muskeln entspannen

In den Pausen zwischen den Durchgängen können Sie sich zur Entspannung des Rückens und der Bauchmuskulatur flach hinlegen und die angewinkelten Beine langsam nach rechts und links pendeln lassen. Die Wirbelsäule sollte dabei am Boden bleiben. Vorsicht bei Bandscheibenproblemen: Dann ist diese Entspannungsübung nichts für Sie.

Übung 2

Ausgangsposition: Legen Sie sich auf den Rücken und winkeln Sie die Beine an. Drücken Sie die Fersen gegen den Boden und strecken Sie die Arme nach vorn. Machen Sie ein Doppelkinn, um den Kopf zu stabilisieren, und heben Sie den Oberkörper leicht vom Boden ab.

Übung 2: Endposition

Endposition: Spannen Sie die Bauchmuskulatur an und rollen Sie den Oberkörper langsam weiter nach oben, bis die Schulterblätter keinen Kontakt zum Boden mehr haben. Die Lendenwirbelsäule bleibt stabil am Boden. Dann wieder absenken.

Variante: Wer Probleme mit seiner Halswirbelsäule hat, macht kein Doppelkinn, sondern winkelt die Arme seitlich an und verschränkt die Hände im Nacken, um den Kopf zu stützen. Ziehen bzw. drücken Sie den Kopf jedoch nicht nach vorn, sondern stützen Sie ihn wirklich nur leicht ab. Auch Fortgeschrittene können die Hände im Nacken verschränken, da dadurch die Übung etwas schwerer wird.

Eine andere Möglichkeit: Legen Sie sich so auf ein Handtuch, dass Sie die Zipfel der Schmalseite hinter dem Kopf fassen können. Beim Hochrollen das Handtuch mitziehen, um den Kopf zu stützen.

Die richtige Atmung ist sehr wichtig. Atmen Sie beim Anheben des Oberkörpers aus (Muskelanspannung), beim Absenken ein (Muskelentspannung).

Übung 3

Ausgangsposition: Legen Sie sich flach auf den Rücken. Strecken Sie die Beine überkreuzt in die Luft und die Arme nach vorn (Beine anwinkeln, um die Kniegelenke zu schonen). Machen Sie ein Doppelkinn und heben Sie den Oberkörper leicht vom Boden ab.

Endposition: Spannen Sie die Bauchmuskulatur an und rollen Sie den Oberkörper weiter nach oben, bis die Schulterblätter den Boden nicht mehr berühren, die Lendenwirbelsäule aber noch fest am Boden liegt. Führen Sie gleichzeitig die Arme nach vorn. Position kurz halten und den Oberkörper langsam wieder senken, die Schultern jedoch nicht auf dem Boden absetzen. Die Stellung der Beine darf sich während der Übung nicht verändern.

Übung 3: Endposition

Übung 4

Ausgangsposition: Legen Sie sich auf den Rücken und heben Sie die überkreuzten Beine angewinkelt vom Boden ab. Strecken Sie die Arme gerade nach vorn aus oder kreuzen Sie sie vor dem Körper (erhöht den Schwierigkeitsgrad).
Heben Sie den Oberkörper leicht an. Machen Sie ein Doppelkinn.

Übung 4: Endposition

Endposition: Spannen Sie die Bauchmuskeln an und rollen Sie den Körper weiter nach vorn ein, ohne die Lendenwirbelsäule vom Boden zu lösen. Die Position etwa zwei Sekunden halten und dann langsam wieder abrollen, ohne dabei die Stellung der Beine zu verändern und die Schultern ganz abzulegen.

Übung 5

Übung 5: Endposition

Ausgangsposition: Legen Sie sich auf den Rücken. Überkreuzen Sie die Beine und strecken Sie sie zur Decke. Verschränken Sie die Arme vor dem Körper und machen Sie ein Doppelkinn.

Endposition: Heben Sie den Oberkörper mit angespannten Bauchmuskeln langsam vom Boden ab, bis die Schulterblätter diesen nicht mehr berühren. Halten Sie dabei die Beine möglichst gestreckt. Position halten und den Oberkörper langsam wieder senken, aber nicht ganz absetzen.

Übung 6

Übung 6: Endposition

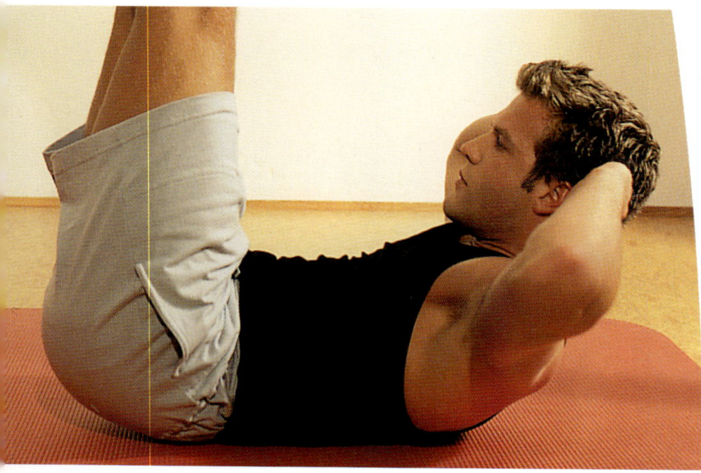

Ausgangsposition: Legen Sie sich auf den Rücken und strecken Sie die Beine zur Decke. Winkeln Sie die Arme seitlich an und verschränken Sie die Hände im Nacken. Doppelkinn machen und den Oberkörper leicht anheben.

Endposition: Heben Sie nun den Oberkörper an, bis nur noch die Lendenwirbelsäule den Boden berührt. Position kurz halten, dann wieder in die Ausgangsposition gehen.

Wichtig: Ziehen bzw. schieben Sie den Kopf mit den Armen nicht nach vorn.

Übung 7

Übung 7: Endposition

Ausgangsposition: Legen Sie sich auf den Rücken. Strecken Sie beide Beine in die Luft und überkreuzen Sie die Unterschenkel. Um die Kniegelenke zu entlasten, bleiben die Beine ganz leicht gebeugt. Fassen Sie mit beiden Händen ein Gewicht (etwa 1 kg) und strecken Sie die Arme etwas über den Kopf nach hinten. Machen Sie ein Doppelkinn.

Heben Sie den Oberkörper zunächst leicht von der Unterlage ab, ohne die Position der Arme zu verändern. Der Kopf sollte dabei in Verlängerung der Wirbelsäule gehalten werden.

Endposition: Spannen Sie die Bauchmuskeln an und heben Sie den Oberkörper, bis die Schulterblätter keinen Kontakt mehr zum Boden haben, die Lendenwirbelsäule jedoch noch stabil ist (also noch fest am Boden liegt). Halten Sie die Arme dabei weiterhin in der Verlängerung des Rumpfes (Ellbogen nicht ganz durchstrecken). Die Position etwa zwei Sekunden halten und den Oberkörper langsam wieder absenken, dabei jedoch weder Schultern noch Arme ganz am Boden ablegen.

Je schwerer das Gewicht, desto intensiver ist die Belastung der Bauchmuskulatur. Sie können dadurch die Belastung beliebig steigern und somit einen maximale Auslastung der Muskulatur erreichen.

Expertentipp

Stretching für zwischendurch

Entspannen Sie sich zwischen den einzelnen Durchgängen, indem Sie eine kurze Stretchingpause einlegen. Ziehen Sie die Beine zur Brust und umfassen Sie sie mit beiden Armen. Versuchen Sie, sich möglichst klein zu machen, indem Sie den Kopf zu den Knien ziehen. Atmen Sie ruhig und gleichmäßig und bereiten Sie sich auf den folgenden Durchgang vor.

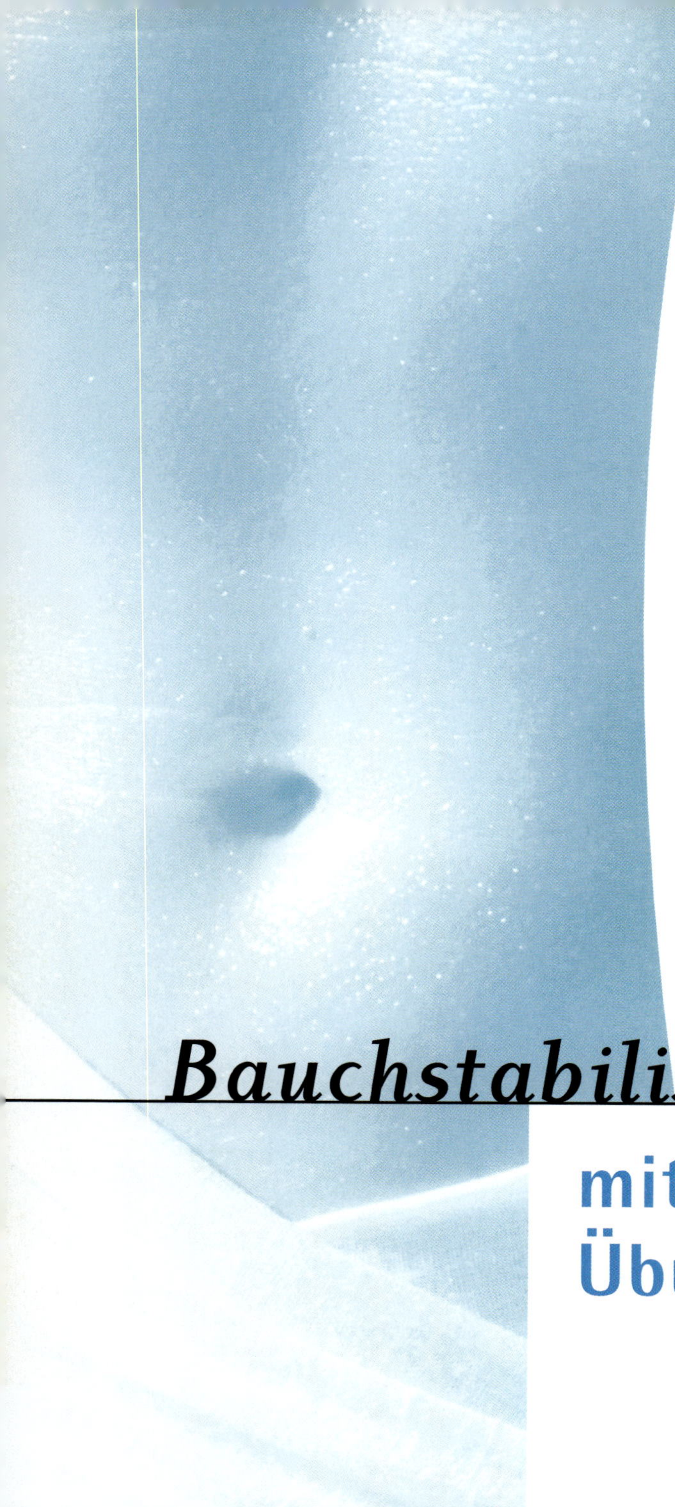

Die Übungen auf den folgenden Seiten kräftigen gleichzeitig die gerade Bauchmuskulatur und die Rumpfmuskulatur.

Bauchstabilisation

mit statischen Übungen

Die Übungen dieser Einheit trainieren gleichzeitig verschiedene Muskelgruppen (u. a. Beine, Gesäß, Rücken und Arme).

Testen Sie Ihre *Fitness*

Um ein erfolgreiches Training zu starten, müssen Sie erst einmal testen, wie fit Sie sind.

Ausgangsposition: Legen Sie sich auf den Bauch. Stützen Sie sich dann mit leicht gebeugter Hüfte auf Unterarme und Fußspitzen. Beine, Rücken und Hals bilden eine Linie. Schauen Sie zum Boden und spannen Sie die Bauchmuskeln fest an.

Endposition: Heben Sie wechselseitig im 1-Sekunden-Rhythmus ein gestrecktes Bein um eine Fußlänge vom Boden ab. Die Ausgangsposition des Rumpfes darf sich dabei nicht verändern. Der Test gilt als beendet, wenn Sie die Rumpfstellung nicht mehr halten können oder Sie Schmerzen verspüren. Jedes »Beinheben« zählt als eine Wiederholung. Wie oft schaffen Sie es?

Auswertung:

- 0- bis 15-mal: Beginnen Sie in der Anfängergruppe.
- 15- bis 25-mal: Sie können gleich mit dem Programm für Fortgeschrittene starten.
- Mehr als 25-mal: Starten Sie Ihr Könnertraining.

Test: Bewegungsablauf

Der individuelle *Trainingsplan*

Auch für diese Übungsgruppe gibt es einen ausgeklügelten Trainingsplan. Anfänger müssen mit dem Vorbereitungstraining beginnen, um ihren Körper schrittweise an die Belastung zu gewöhnen.

	Übung 1 (Seite 31)	Übung 2 (Seite 32)	Übung 3 (Seite 32)	Übung 4 (Seite 33)	Übung 5 (Seite 33)	Übung 6 (Seite 35)
1.–4. TE	6 x 30 s Pause 20 s	Je 3 x 30 s Pause 20 s	Je 4 x 30 s Pause 20 s			
5.–8. TE		Je 3 x 30 s Pause 20 s	Je 4 x 30 s Pause 20 s	8 x 30 s Pause 20 s		
9.–12. TE			Je 4 x 30 s Pause 20 s	8 x 30 s Pause 20 s	Je 3 x 20 s Pause 30–60 s	
13.–16. TE				8 x 30 s Pause 20 s	Je 3 x 20 s Pause 30–60 s	Je 4 x 15 s Pause 30–60 s
17.–20. TE					Je 3 x 20 s Pause 30–60 s	Je 4 x 15 s Pause 30–60 s
21.–24. TE						Je 4 x 15 s Pause 30–60 s
	Vorbereitungstraining		Kraftausdauertraining		Maximalkrafttraining	

TE = Trainingseinheit bzw. Trainingstag
s = Sekunden
Anfängerprogramm: schwarz
Fortgeschrittenen-programm: grün
Könnerprogramm: blau

Ein Beispiel: Sie haben beim Test 27 Wiederholungen erreicht und können sofort mit dem Trainigsprogramm für Könner beginnen. Dann absolvieren Sie nur die blauen Übungen.

Die ersten vier Trainingseinheiten (bzw. Trainingstage) führen Sie nur die Übung 3 durch. Halten Sie Ihre Übungsstellung jeweils 30 Sekunden und machen Sie dann eine 20-Sekunden-Pause. Absolvieren Sie dann die Übung noch dreimal (insgesamt also viermal).

Die fünfte Trainingseinheit (bzw. der fünfte Trainigstag) beginnt dann mit der vierten Übung. Diesmal absolvieren Sie acht Durchgänge à 30 Sekunden und machen zwischendurch jeweils eine kurze Pause von 20 Sekunden.

Ab dem neunten Trainingstag turnen Sie dann Übung 5 in der oben genannten Wiederholungszahl usw.

Die wirkungsvollsten Übungen

Im Gegensatz zu den anderen Übungsgruppen in diesem Buch werden die folgenden Übungen statisch ausgeführt. Das bedeutet, dass keine dynamischen Bewegungen ausgeführt werden, sondern man nur die Muskeln anspannt. Die Übungen sind gut für eine optimale Körperspannung und eignen sich – sofern sie korrekt ausgeführt werden – auch für all diejenigen, die bei aktiver Bewegung Probleme mit der Wirbelsäule haben.

Übung 1

Übungsposition: Legen Sie sich auf den Bauch. Stützen Sie sich dann mit leicht gebeugter Hüfte auf Ihre Unterarme und Knie. Gesäß, Rücken und Hals bilden eine Linie. Schauen Sie zum Boden, nicht geradeaus.

Spannen Sie die Bauchmuskeln fest an und halten Sie die Position, ohne dabei ein Hohlkreuz zu machen. Halten Sie nicht die Luft an, sondern atmen Sie gleichmäßig und tief ein und aus.

Übung 1

Gut zu wissen

Weiche Unterlage

Legen Sie beim Workout eine bequeme, nicht zu weiche Unterlage auf den Boden, damit die Wirbelsäule optimal aufliegt. Bei Übungen auf dem Rücken können Sie Ihre Lendenwirbelsäule zusätzlich mit einem kleinen festen Kissen oder einer Handtuchrolle abstützen. Wenn Sie beim Knien Probleme haben, legen Sie ein weiches Kissen unter.

Übung 2

Übungsposition: Die Ausgangsposition entspricht der der vorherigen Übung. Gehen Sie zunächst in die Bauchlage. Stützen Sie sich dann auf Ihre Unterarme und Knie. Blicken Sie zum Boden und halten Sie den Kopf in Verlängerung der Wirbelsäule. Ziehen Sie die Bauchdecke leicht ein, um ein Absinken ins Hohlkreuz zu vermeiden. Heben Sie ein Bein gestreckt vom Boden ab. Halten Sie diese Position über den vorgegebenen Zeitraum. Wechseln Sie anschließend die Seite und führen Sie die Übung mit dem anderen Bein durch.

Übung 2

Ganz wichtig: Je weiter Sie das Knie nach hinten aufstellen, desto schwieriger wird die Übung. Damit die Übung wirkt, kommt es aber weniger auf den Schwierigkeitsgrad als auf die korrekte Körperstellung an: Der gesamte Körper muss annähernd eine Linie bilden.

Halten Sie während der Übung nicht die Luft an und atmen Sie gleichmäßig weiter. Positiver Nebeneffekt: Sie trainieren gleichzeitig Ihre Brust-, Bein- und Gesäßmuskulatur.

Übung 3

Übungsposition: Die Ausgangsposition entspricht der der beiden vorherigen Übungen: Legen Sie sich erst auf den Bauch und stützen Sie sich dann auf Knie und Unterarme. Blicken Sie zum Boden und halten Sie den Hals in einer Linie mit dem Rücken. Nun heben Sie ein Bein vom Boden ab und strecken den entgegengesetzten Arm nach vorn. Bein, Rumpf und Arm müssen eine Linie bilden. Ziehen Sie die Bauchdecke leicht ein, um zu verhindern, dass der Rücken ins Hohlkreuz absackt.

Halten Sie diese Position über den vorgegebenen Zeitraum. Achten Sie darauf, dass Sie den Körper nicht seitlich verdrehen. Atmen Sie gleichmäßig weiter und halten Sie nicht die Luft an. Seite wechseln.

Positiver Nebeneffekt dieser Übung: Sie verbessern gleichzeitig Ihren Gleichgewichtssinn und trainieren außerdem Schulter-, Brust- und Beinmuskulatur.

Übung 3

Übung 4

Übungsposition: Gehen Sie erst in die Bauchlage und stützen Sie sich dann auf Ihre Unterarme und Fußspitzen. Schauen Sie auf den Boden und halten Sie den Kopf in einer Linie mit dem Rücken. Heben Sie das Becken langsam so weit an, bis der gesamte Körper nahezu eine gerade Linie bildet. Ziehen Sie die Bauchdecke leicht ein, um dadurch ein Absinken ins Hohlkreuz zu verhindern. Halten Sie diese Position über den vorgegebenen Zeitraum.

Übung 4

Bei dieser Übung ist es ganz wichtig, dass Sie das Becken nicht zu weit nach oben heben und die Beine während der ganzen Zeit gestreckt bleiben. Anderenfalls entlasten Sie durch Ihre Haltung die Bauchmuskulatur und mindern so den Trainingseffekt. Vermeiden Sie außerdem die Luft anzuhalten, achten Sie vielmehr auf eine gleichmäßige, ruhige und tiefe Atmung.

Übung 5

Übungsposition: Die Ausgangsposition entspricht der der vorherigen Übung: Legen Sie sich erst auf den Bauch; stützen Sie sich dann auf Ihre Ellbogen und stellen Sie Ihre Fußspitzen auf. Heben Sie das Becken an, bis Beine und Rumpf eine Linie bilden. Bringen Sie das Gesäß jedoch nicht zu weit nach oben, weil Sie sonst nicht den optimalen Trainingseffekt für Ihre Bauchmuskulatur erzielen. Ziehen Sie die Bauchdecke leicht ein, um ein Hohlkreuz zu vermeiden. Hals und Rücken bilden eine Linie, der Kopf schaut also nicht geradeaus, sondern nach unten. Heben Sie nun ein Bein gestreckt vom Boden ab. Halten Sie die Position über den vorgegebenen Zeitraum und wechseln Sie dann die Seite.

Übung 5

Ganz wichtig: Vermeiden Sie auf jeden Fall jede Ausweichbewegung des Rumpfes. Drehen Sie den Körper also nicht zur Seite und sinken Sie nicht ins Hohlkreuz ab.

Positiver Nebeneffekt: Sie trainieren gleichzeitig sehr intensiv Ihre Bein- und Gesäßmuskulatur. Das Training ist daher eine ideale Ergänzung für andere Problemzonengymnastik.

Expertentipp

Training mit Gewichten

Fallen Ihnen die Übungen schon bald zu leicht? Sie können sie erschweren, indem Sie sich Gewichtsmanschetten oder Gymnastikhanteln (mit Schlaufe) an Knöchel und/oder Handgelenken befestigen und so die Belastung erhöhen. Die Gewichte dürfen jedoch nie so schwer sein, dass Sie die Übungen nicht mehr sauber ausführen können.

Übung 6

Übungsposition: Nehmen Sie wiederum die Ausgangsposition ein. Legen Sie sich dazu zunächst auf den Bauch und stützen Sie sich auf Ihre Ellbogen. Stellen Sie Ihre Fußspitzen auf und heben Sie das Becken vom Boden ab, bis Beine, Rücken und Hals eine Linie bilden. Richten Sie Ihren Blick zum Boden und halten Sie Ihren Kopf in Verlängerung der Wirbelsäule. Ziehen Sie Ihre Bauchdecke leicht ein, um zu vermeiden, dass Sie ins Hohlkreuz absacken. Heben Sie nun einen Arm und das gegenüberliegende Bein vom Boden ab. Halten Sie diese Position über den vorgegebenen Zeitraum und wechseln Sie anschließend die Seite.

Sie haben Übung 6 erreicht. Wenn Sie sich nach Ende des Trainingsplanes noch weiter verbessern wollen, sollten Sie schrittweise die Belastungsdauer erhöhen. Als Ziel ist zu setzen: je 4-mal 30 Sekunden.

Ganz wichtig: Heben Sie das Bein nicht zu hoch; Rücken und Gesäß müssen immer noch eine Gerade bilden. Halten Sie den Rumpf stabil und vermeiden Sie jegliche Ausweichbewegungen. Drehen Sie den Körper also nicht zur Seite und verfallen Sie nicht versehentlich ins Hohlkreuz. Atmen Sie während der gesamten Zeit gleichmäßig weiter, anstatt die Luft anzuhalten.

Fällt es Ihnen anfangs schwer, das Gleichgewicht zu halten, können Sie sich zur Erleichterung mit dem gestreckten Arm an einer Wand abstützen. Sollte Ihnen die Übung nach einigen Trainingseinheiten dagegen zu leicht fallen, können Sie den Schwierigkeitsgrad erhöhen, indem Sie ein Gewicht (z. B. 1-kg-Hantel, gefüllte Wasserflasche, dickes Buch) in die Hand des arbeitenden Armes nehmen oder Gewichtsmanschetten anlegen.

Ein positiver Nebeneffekt: Diese Übung ist sehr anspruchsvoll. Durch regelmäßiges Training werden Sie schnell Ihren Gleichgewichtssinn verbessern. Zugleich trainieren Sie nahezu Ihre gesamte Rumpf-, Schulter- und Beinmuskulatur.

Übung 6

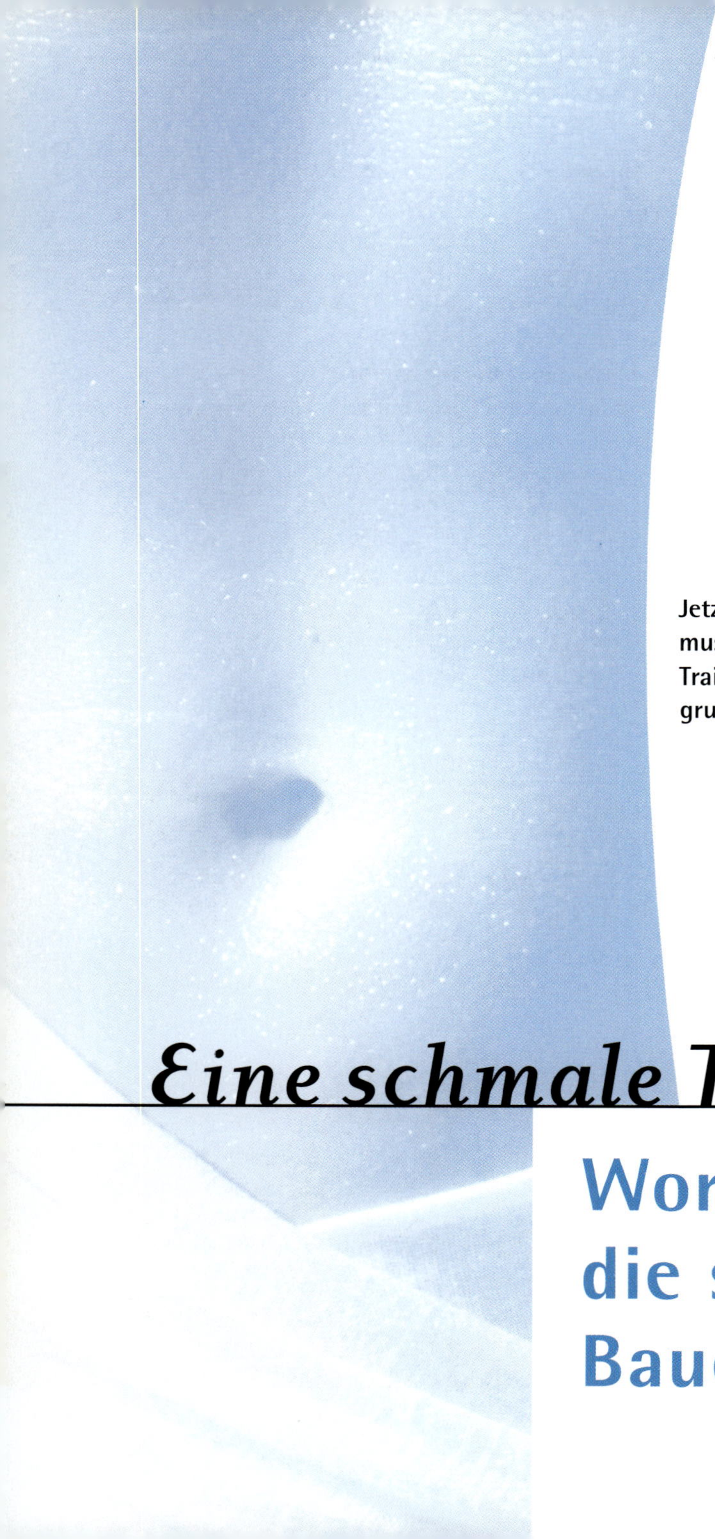

Jetzt sind die schrägen Bauchmuskeln an der Reihe, denn Trainingsziel dieser Übungsgruppe ist eine schmale Taille.

Eine schmale Taille –

Workout für die schrägen Bauchmuskeln

Bevor Sie mit dem Training beginnen, testen Sie auch diesmal Ihre Muskelkraft mit einer einfachen Übung.

Test für die *schräge Bauchmuskulatur*

Ausgangsposition: Legen Sie sich auf den Rücken und strecken Sie Ihre Beine überkreuzt senkrecht zur Decke. Schieben Sie einen Stuhl so weit nach vorn, dass Sie ihn gerade noch mit den Fingerspitzen berühren können, ohne die Lendenwirbelsäule vom Boden abzuheben. Legen Sie den Oberkörper auf den Boden.

Test: Bewegungsablauf

Endposition: Spannen Sie die Bauchmuskeln an, rollen Sie sich seitlich nach vorn und berühren Sie den Stuhl mit den Händen. Die Lendenwirbelsäule bleibt stabil. Beenden Sie den Test bei Schmerz, Erschöpfung oder wenn die Bewegung unsauber wird.

Testen Sie dann nach einer kurzen Pause (etwa zwei bis drei Minuten) die andere Seite (Stuhl auf der anderen Seite berühren). Sind die Werte unterschiedlich, zählt der niedrigere. Wie oft haben Sie es geschafft?

Auswertung:

- 0- bis 12-mal: Beginnen Sie mit dem Anfängerprogramm.
- 13- bis 20-mal: Starten Sie Ihr Fortgeschrittenenprogramm.
- Mehr als 20-mal: Beginnen Sie mit dem Könnerprogramm.

Das angepasste *Trainingsprogramm*

Mit diesem Trainingsplan können Sie die Muskulatur besonders effektiv stärken. Das Vorbereitungstraining stellt den Körper schrittweise auf größere Belastungen ein. Dies ist vor allem bei Anfängern wichtig.

	Übung 1 (Seite 39)	Übung 2 (Seite 40)	Übung 3 (Seite 40)	Übung 4 (Seite 41)	Übung 5 (Seite 42)	Übung 6 (Seite 42)	Übung 7 (Seite 43)
1.–4. TE	3 x 15 WH Pause 30 s	3 x 15 WH Pause 30 s	4 x 20 WH Pause 30 s				
5.–8. TE		4 x 15 WH Pause 30 s	4 x 20 WH Pause 30 s	4 x 20 WH Pause 30 s			
9.–12. TE			4 x 20 WH Pause 30 s	4 x 20 WH Pause 30 s	4 x 20 WH Pause 30 s		
13.–16. TE				4 x 20 WH Pause 30 s	4 x 20 WH Pause 30 s	4 x 15 WH Pause 60 s	
17.–20. TE					4 x 20 WH Pause 30 s	4 x 15 WH Pause 60 s	4 x 12 WH Pause 90 s
21.–24. TE						4 x 15 WH Pause 60 s	4 x 12 WH Pause 90 s
25.–28. TE							4 x 12 WH Pause 90 s
	Vorbereitungstraining		Kraftausdauertraining			Maximalkrafttraining	

TE = Trainingseinheit bzw. Trainingstag
WH = Wiederholungen
s = Sekunden
Anfängerprogramm: schwarz
Fortgeschrittenenprogramm: grün
Könnerprogramm: blau

Beispiel: Sie haben beim Test auf der vorangegangenen Seite problemlos 15 Wiederholungen geschafft. Sie können also die Anfängerstufe überspringen und sofort beim Fortgeschrittenentraining beginnen. Dazu absolvieren Sie in den ersten vier Trainingseinheiten (bzw. Trainingstagen) Übung 2 (grün): insgesamt 3 Sätze (Durchgänge) à 15 Wiederholungen. Machen Sie zwischendurch jeweils 30 Sekunden Pause.

Folgen Sie dann der Tabelle und turnen Sie ab der fünften Trainingseinheit Übung 3, ab der neunten Übung 4, ab der dreizehnten Übung 5, bis Sie bei Übung 7 angelangt sind.

Die effektivsten *Übungen*

Übung 1

Ausgangsposition: Stellen Sie einen stabilen Stuhl mit der Sitzfläche nach unten an eine Wand und lehnen Sie sich mit dem Rücken an die Stuhllehne. Rücken und Hals bilden eine Linie. Winkeln Sie die Beine an und stellen Sie beide Fersen fest auf den Boden. Berühren Sie mit den Fingerspitzen den Hinterkopf und halten Sie die Ellbogen nach außen. Nun spannen Sie die Bauchmuskeln an, machen ein Doppelkinn und heben den Oberkörper leicht von der Stuhllehne ab. Legen Sie eventuell eine Handtuchrolle oder ein Lendenkissen unter die Lendenwirbel.

Für das Training gilt: Wechseln Sie nach jedem Durchgang die Seite.

Endposition: Beugen Sie sich diagonal nach vorn indem Sie den Oberkörper zur Seite drehen. Heben Sie dabei jedoch nicht den ganzen Rumpf von der Stuhllehne ab, sodass die Lendenwirbelsäule immer in Kontakt mit ihr bleibt. Ziehen bzw. schieben Sie keinesfalls den Kopf mit den Händen nach vorn, sondern stützen Sie ihn lediglich mit den Fingern leicht ab. Drücken Sie am besten die Ellbogen weit nach außen. Atmen Sie aus, wenn Sie sich nach vorn bewegen, und ein, wenn Sie den Rumpf wieder absenken.

Um einseitige Belastungen zu vermeiden, wechseln Sie nach jedem Durchgang die Seite.

Variante: Anstelle eines Stuhls können Sie auch ein breites Brett, das Sie an die Wand lehnen, verwenden, dann lässt sich der Schwierigkeitsgrad beliebig verändern. Je schräger das Brett, desto schwerer wird es, den Oberkörper nach vorn zu rollen.

Übung 1: Endposition

Übung 2

Ausgangsposition: Legen Sie sich auf den Rücken und winkeln Sie die Beine an. Drücken Sie die Fersen gegen den Boden. Strecken Sie beide Arme zu einer Seite nach vorn. Halten Sie den Kopf gerade, indem Sie ein Doppelkinn machen. Heben Sie den Oberkörper leicht an, um die Bauchmuskulatur auf Spannung zu bringen.

Übung 2: Endposition

Endposition: Rollen Sie den Oberkörper nach vorn ein, bis nur noch die Lendenwirbel am Boden aufliegen. Drehen Sie ihn dabei gleichzeitig zur Seite (Arme mitbewegen). Beine und Becken bleiben stabil, werden also nicht mitgedreht. Die Bauchmuskulatur muss während der Übung permanent angespannt sein, damit das Training optimal wirkt.

Wechseln Sie nach jedem Durchgang die Seite.

Übung 3

Auch wenn Ihnen die Übungen zwischendurch schwer fallen, halten Sie sich Ihr Ziel immer klar vor Augen: Jede einzelne Trainingseinheit ist wichtig, um Sie einer schlanken Taille einen Schritt näher zu bringen.

Ausgangsposition: Legen Sie sich auf den Rücken. Überkreuzen Sie Ihre Beine und heben Sie sie vom Boden ab; Beine dabei nicht ganz durchstrecken, um die Kniegelenke zu entlasten. Umfassen Sie mit einer Hand die andere und strecken Sie dann beide Arme auf eine Seite nach vorn. Spannen Sie Ihre Bauchmuskulatur an, indem Sie den Oberkörper ganz leicht vom Boden abheben. Halten Sie den Kopf gerade, indem Sie ein Doppelkinn machen.

Endposition: Heben Sie den Oberkörper weiter vom Boden ab, bis die Schulterblätter ihn nicht mehr berühren. Drehen Sie sich dabei gleichzeitig in die Richtung, in die auch die Arme zeigen. Bewegen Sie diese dabei am Bein vorbei nach vorn. Vermeiden Sie jede ruckartige Bewegung, und achten Sie darauf, dass Sie Beine und untere Wirbelsäule nicht mitbewegen, wenn Sie den Oberkörper einrollen.

Wechseln Sie nach jedem Durchgang die Seite.

Atmen Sie während der gesamten Übung tief und gleichmäßig: beim Anspannen (also beim Aufrollen des Oberkörpers) ausatmen, beim Lockerlassen der Muskeln (Senken) wieder einatmen.

Übung 3: Endposition

Übung 4

Ausgangsposition: Die Ausgangsposition entspricht der der vorherigen Übung: Legen Sie sich auf den Rücken, überkreuzen Sie die Beine und heben Sie sie angewinkelt an. Kreuzen Sie die Arme vor dem Körper. Hals und Rücken bilden eine gerade Linie. Bringen Sie Ihre Bauchmuskulatur auf Vorspannung, indem Sie den Oberkörper minimal vom Boden abheben.

Übung 4: Endposition

Endposition: Heben Sie Ihren Oberkörper langsam weiter vom Boden ab, bis die Schulterblätter ihn nicht mehr berühren. Drehen Sie dabei eine Schulter in Richtung des gegenüberliegenden Knies. Achten Sie darauf, dass Sie dabei weder Beine noch Lendenwirbelsäule oder Kopf mitbewegen. Dann wieder absenken.

Wechseln Sie nach jedem Durchgang die Seite.

Übung 5

Ausgangsposition: Legen Sie sich auf den Rücken. Überkreuzen Sie die Beine und strecken Sie sie senkrecht nach oben. Halten Sie die Knie möglichst gestreckt. Kreuzen Sie die Arme vor dem Körper und halten Sie den Kopf gerade (Doppelkinn machen). Bringen Sie die Bauchmuskulatur auf Vorspannung, indem Sie den Oberkörper ganz leicht anheben.

Übung 5: Endposition

Endposition: Heben Sie den Oberkörper nun an, bis die Schulterblätter keinen Kontakt mehr zum Boden haben. Drehen Sie dazu eine Schulter zur Seite des gegenüberliegenden Beines. Beine und Lendenwirbelsäule dürfen dabei nicht mitbewegt werden.

Halten Sie die Beine während der ganzen Übung gestreckt im rechten Winkel. Sinken sie nach vorn ab, haben Sie nicht den maximalen Trainingseffekt. Fällt Ihnen das anfangs zu schwer, können Sie sie leicht an der Wand abstützen.

Halten Sie den Kopf in der stabilen Position und wechseln Sie nach jedem Durchgang die Seite.

Übung 6

Ausgangsposition: Legen Sie sich auf den Rücken, überkreuzen Sie die Beine und strecken Sie sie senkrecht zur Decke. Die Knie dabei möglichst durchstrecken. Rücken und Hals bilden eine gerade Linie. Winkeln Sie die Arme in Schulterhöhe an und legen Sie die Fingerspitzen seitlich hinter die Ohren. Die Ellbogen zeigen nach außen. Heben Sie den Oberkörper minimal an und bauen Sie so eine Vorspannung der Bauchmuskulatur auf.

Endposition: Heben Sie nun den Oberkörper weiter an und drehen Sie eine Schulter dabei zum gegenüberliegenden Bein.

Halten Sie die Beine stets in der Ausgangsposition und ziehen Sie den Kopf nicht mit den Armen nach vorn. Halten Sie während der ganzen Übung die Spannung in der Bauchmuskulatur, indem Sie den Oberkörper beim Absenken nie ganz absetzen.

Wechseln Sie nach jedem Durchgang die Seite.

Übung 6: Endposition

Übung 7

Ausgangsposition: Legen Sie sich auf den Rücken. Überkreuzen Sie die Beine und strecken Sie sie senkrecht zur Decke. Fassen Sie mit beiden Händen eine 1-kg-Hantel (fällt dies anfangs zu schwer, einfach mit einer Hand die andere umfassen) und strecken Sie die Arme über den Kopf nach hinten. Machen Sie ein Doppelkinn und heben Sie den Oberkörper leicht an.

Übung 7: Endposition

Endposition: Beugen Sie den Oberkörper weiter nach oben, bis die Schulterblätter keinen Kontakt mehr zum Boden haben. Drehen Sie sich gleichzeitig zur Seite, ohne die Arme nach vorn zu ziehen.

Wechseln Sie nach jedem Durchgang die Seite.

Trainingsziel der letzen Übungsgruppe ist die Kräftigung der quer verlaufenden Bauchmuskeln, die ebenfalls für eine schlanke Taille sorgen.

Die queren Bauchmuskeln –

Übungen für die schlanke Taille

Testen Sie nun Ihre quer verlaufende Bauchmuskulatur und probieren Sie, wie oft Sie die nachfolgende Übung ohne Probleme schaffen.

Testen Sie Ihre *Muskeln*

Ausgangsposition: Strecken Sie die Beine überkreuzt zur Decke und rollen Sie Ihren Oberkörper so weit es geht nach vorn, ohne die Lendenwirbel vom Boden zu lösen. Schieben Sie einen Stuhl so weit von sich weg, dass Sie ihn gerade noch mit den Fingern berühren können. Senken Sie den Oberkörper auf den Boden.

Test: Bewegungsablauf

Endposition: Rollen Sie den Oberkörper wieder hoch und bewegen Sie ihn dann so weit wie möglich horizontal nach rechts und links zur Seite und berühren Sie dabei jeweils eine Seite des Stuhls. Beine und Hüfte dürfen dabei nicht mitbewegt werden, der Oberkörper sollte maximal gebeugt bleiben!

Zählen Sie langsam »eins (rechte Seite) und (Mitte) zwei (linke Seite) und (Mitte) ...«.

Beenden Sie den Test, wenn die Bewegungen unsauber werden oder wenn Sie Schmerzen haben.

Auswertung:

- 0- bis 12-mal: Beginnen Sie mit dem Anfängerprogramm.
- 13- bis 20-mal: Starten Sie das Fortgeschrittenenprogramm.
- Mehr als 20-mal: Sie können gleich als Könner beginnen.

Der begleitende *Trainingsplan*

Auch für diese Übungsgruppe wurde ein effektiver Trainingsplan für alle drei Testtypen zusammengestellt. Vor allem als Anfänger ist es wichtig, den Körper durch das Vorbereitungstraining langsam an die wachsende Belastung zu gewöhnen.

	Übung 1 (Seite 47)	Übung 2 (Seite 48)	Übung 3 (Seite 48)	Übung 4 (Seite 49)	Übung 5 (Seite 50)	Übung 6 (Seite 50)	Übung 7 (Seite 51)
1.–4. TE	3 x 15 WH Pause 30 s	3 x 15 WH Pause 30 s	4 x 20 WH Pause 30 s				
5.–8. TE		4 x 15 WH Pause 30 s	4 x 20 WH Pause 30 s	4 x 20 WH Pause 30 s			
9.–12. TE			4 x 20 WH Pause 30 s	4 x 20 WH Pause 30 s	4 x 20 WH Pause 30 s		
13.–16. TE				4 x 20 WH Pause 30 s	4 x 20 WH Pause 30 s	4 x 15 WH Pause 60 s	
17.–20. TE					4 x 20 WH Pause 30 s	4 x 15 WH Pause 60 s	4 x 12 WH Pause 90 s
21.–24. TE						4 x 15 WH Pause 60 s	4 x 12 WH Pause 90 s
25.–28. TE							4 x 12 WH Pause 90 s
	Vorbereitungstraining		Kraftausdauertraining			Maximalkrafttraining	

TE = Trainingseinheit bzw. Trainingstag
WH = Wiederholungen
s = Sekunden
Anfängerprogramm: schwarz
Fortgeschrittenenprogramm: grün
Könnerprogramm: blau

Beispiel: Sie haben die Testübung maximal 11-mal geschafft, müssen Ihr Training also als Anfänger beginnen. Absolvieren Sie dann während der ersten vier Trainingseinheiten nur die erste Übung. Wiederholen Sie sie 15-mal (ein Durchgang bzw. Satz). Anschließend machen Sie eine Pause von 30 Sekunden, ehe Sie nochmals zwei Sätze turnen (insgesamt drei Durchgänge).

Ab dem fünften Trainingstag (bzw. der fünften Trainingseinheit) turnen Sie Übung 2 in vier Durchgängen à 15 Wiederholungen. Auf diese Weise geht es wie in der Tabelle angegeben weiter: Ab dem neunten Trainingstag Übung 3, ab dem dreizehnten Übung 4 usw.

Die besten *Übungen*

Übung 1

Ausgangsposition: Stellen Sie einen stabilen Stuhl mit der Sitzfläche nach unten an eine Wand und lehnen Sie sich mit dem Rücken an die Stuhllehne. Rücken und Hals bilden eine Linie. Winkeln Sie die Beine an und stellen Sie beide Fersen fest auf den Boden. Halten Sie den Kopf gerade, indem Sie versuchen, ein Doppelkinn zu machen. Strecken Sie die Arme nach vorn und beugen Sie den Oberkörper so weit nach vorn, dass nur noch Gesäß und Lendenwirbelsäule die Stuhllehne berühren. Legen Sie eventuell eine Handtuchrolle oder ein Lendenkissen unter die Lendenwirbel.

Endposition: Halten Sie den Oberkörper in der gespannten Position und schieben Sie abwechselnd die linke Hand zum linken Fuß, die rechte zum rechten. Drehen Sie dabei den Oberkörper nicht, sondern nähern Sie sich mit der Schulter jeweils der gleichseitigen Hüfte an.

Atmen Sie gleichmäßig ein und aus. Zählen Sie jede Bewegung auf eine Seite als eine Wiederholung.

Atmen Sie bei allen Übungen ruhig und gleichmäßig. Die so genannte Pressatmung kann die Blutzirkulation und den Blutfluss negativ beeinflussen und hemmen. Machen Sie außerdem zwischendurch das Fenster auf und sorgen Sie für ausreichende Frischluftzufuhr.

Variante: Anstelle eines Stuhls können Sie auch ein breites Brett verwenden. Durch dessen Stellung lässt sich der Schwierigkeitsgrad dieser Übung beliebig verändern. Je schräger Sie das Brett an die Wand lehnen, desto schwerer wird es, den Oberkörper nach vorn zu rollen. Je aufrechter Sie dagegen sitzen, desto leichter wird die Bewegung. Machen Sie es sich aber auch als Anfänger nicht zu leicht, sonst haben die Muskeln nichts davon.

Übung 1: Endposition

Übung 2

Ausgangsposition: Legen Sie sich auf den Rücken, winkeln Sie die Beine an und drücken Sie die Fersen fest auf den Boden. Strecken Sie die Arme zu den Knien. Machen Sie ein Doppelkinn und rollen Sie den Oberkörper nach vorn, bis nur noch die Lendenwirbelsäule den Boden berührt. Die Arme dabei nach vorn schieben.

Übung 2: Endposition

Endposition: Halten Sie den Oberkörper in der Ausgangsposition und schieben Sie abwechselnd die rechte und linke Hand horizontal in Richtung der Füße. Versuchen Sie dabei Ihre Rippen dem Beckenkamm anzunähern. Zählen Sie jede Bewegung auf eine Seite als eine Wiederholung

Ganz wichtig: Achten Sie auf eine korrekte Übungsausführung, indem Sie das Drehen oder Absinken des Oberkörpers vermeiden, und Beine, Becken sowie Lendenwirbelsäule möglichst stabil halten.

Übung 3

Ausgangsposition: Legen Sie sich auf den Rücken. Überkreuzen Sie die Beine und heben Sie sie angewinkelt vom Boden ab. Der Winkel zwischen Rumpf und Oberschenkeln beträgt 90 Grad. Halten Sie den Kopf gerade, indem Sie ein Doppelkinn machen. Heben Sie nun den Oberkörper an, bis die Schulterblätter keinen Kontakt mehr zum Boden haben. Strecken Sie beide Arme in Richtung der Füße.

Eine langsame und gleichmäßige Übungsausführung steigert den Trainingseffekt. Eine schnelle und unkorrekte Durchführung belastet dagegen die Gelenke!

Endposition: Halten Sie den Oberkörper in der Ausgangsposition gebeugt und schieben Sie abwechselnd die rechte und linke Hand horizontal in Richtung der Füße. Halten Sie dabei den Kopf die ganze

Zeit stabil. Auch Beine und Lendenwirbelsäule dürfen nicht mitbewegt werden.

Ganz wichtig: Unterbrechen Sie die Bewegung beim Seitenwechsel nicht, sondern bewegen Sie sich langsam und gleichmäßig auf beide Seiten. Vermeiden Sie ein Absinken des Oberkörpers und halten Sie nicht die Luft an. Atmen Sie stattdessen ruhig und gleichmäßig weiter.

Jede Bewegung zur Seite zählt als eine Wiederholung.

Übung 3: Endposition

Übung 4

Ausgangsposition: Legen Sie sich auf den Rücken. Überkreuzen Sie Ihre Beine und heben Sie sie im rechten Winkel vom Boden. Die Knie sind abgewinkelt. Machen Sie ein Doppelkinn, Rücken und Hals bilden eine Linie. Verschränken Sie die Arme vor dem Körper. Rollen Sie den Oberkörper hoch, bis die Schulterblätter nicht mehr am Boden aufliegen.

Endposition: Halten Sie den Oberkörper gebeugt. Neigen Sie sich in fließenden Bewegungen abwechselnd horizontal nach beiden Seiten, ohne dass der Oberkörper dabei absinkt. Beine und unterer Rücken bleiben stabil. Atmen Sie ganz gleichmäßig.

Zählen Sie jede Seitneigung als eine Wiederholung.

Übung 4: Endposition

Übung 5

Ausgangsposition: Legen Sie sich auf den Rücken. Überkreuzen Sie Ihre Beine und strecken Sie sie senkrecht zur Decke. Halten Sie dabei die Knie möglichst gestreckt. Verschränken Sie die Arme vor dem Körper und heben Sie den Oberkörper langsam vom Boden ab, bis die Schulterblätter ihn nicht mehr berühren. Rücken und Hals bilden eine Linie. Doppelkinn machen.

Übung 5: Endposition

Endposition: Halten Sie den Oberkörper weiter gebeugt. Neigen Sie sich nun abwechselnd horizontal nach beiden Seiten. Zählen Sie jede Bewegung auf eine Seite als eine Wiederholung.

Achten Sie während der gesamten Übung darauf, dass Sie die Bewegungen korrekt ausführen. Sonst wird der Trainingseffekt stark gemindert. Halten Sie also die Beine im 90-Grad-Winkel gestreckt und bewegen Sie weder Beine noch untere Wirbelsäule mit. Auch der Oberkörper muss stets gebeugt bleiben und darf nicht nach unten absinken. Halten Sie nicht die Luft an, sondern atmen Sie ruhig und gleichmäßig ein und aus.

Kontrollieren Sie die Stellung der Beine, indem Sie sie nah an einer Wand nach oben strecken, ohne diese jedoch zu berühren. Fällt es Ihnen anfangs schwer, die Position zu halten, dürfen Sie die Beine auch an der Wand abstützen.

Übung 6

Ausgangsposition: Legen Sie sich auf den Rücken. Überkreuzen Sie die Beine und strecken Sie sie senkrecht zur Decke. Winkeln Sie die Arme in Schulterhöhe an und legen Sie die Fingerspitzen seitlich an den Hinterkopf. Strecken Sie die Ellbogen dabei weit nach hinten. Rollen Sie nun den Oberkörper langsam nach oben ein, bis die Schulterblätter keinen Kontakt mehr zum Boden haben. Halten Sie den Kopf gerade, Rücken und Hals bilden eine gerade Linie.

Endposition: Halten Sie Ihren Oberkörper weiterhin gebeugt. Neigen Sie ihn dann horizontal abwechselnd nach rechts und links. Jede Seitneigung zählt dabei als eine Wiederholung.

Übung 6: Endposition

Wie bei der vorherigen Übung ist es entscheidend für den Trainingseffekt, dass Sie die Grundstellung der Beine während der ganzen Übung beibehalten. Drehen Sie sie also nicht mit und versuchen Sie gleichzeitig, den Oberkörper möglichst hoch zu halten.

Ziehen bzw. schieben Sie den Kopf nicht mit den Händen und vergessen Sie nicht, gleichmäßig weiter zu atmen.

Übung 7

Ausgangsposition: Legen Sie sich auf den Rücken. Überkreuzen Sie die Beine und strecken Sie sie in die Luft. Fassen Sie mit beiden Händen ein Gewicht (anfangs eventuell nur eine Hand um die andere legen) und strecken Sie die Arme über den Kopf nach hinten. Heben Sie den Oberkörper bis zur Lendenwirbelsäule vom Boden ab. Halten Sie dabei den Kopf gerade.

Übung 7: Endposition

Endposition: Neigen Sie den Oberkörper abwechselnd nach rechts und links. Halten Sie das Gewicht weiterhin über dem Kopf, ohne die Position der Arme zu verändern.

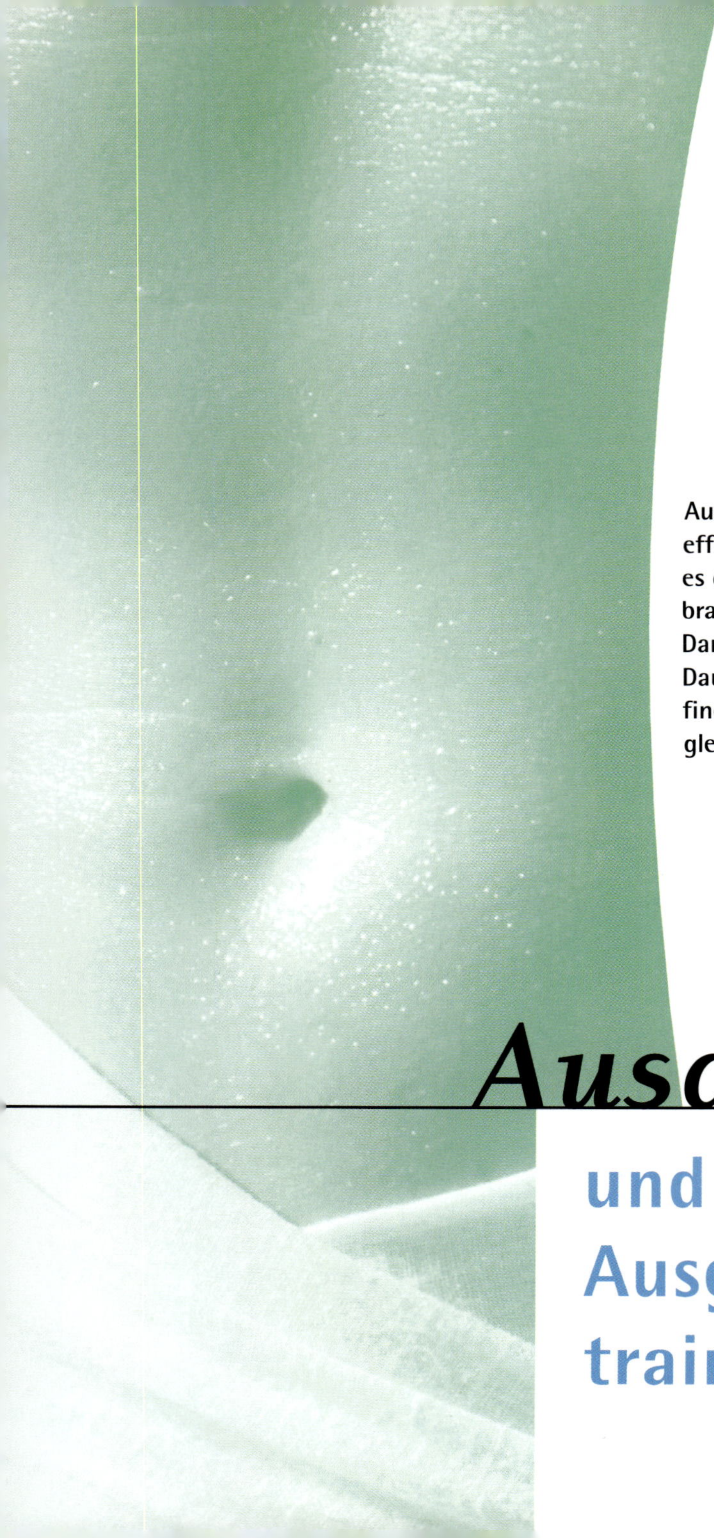

Ausdauertraining ist wohl die effektivste Maßnahme, wenn es darum geht, Energie zu verbrauchen und Fett abzubauen. Damit das Bauchtraining auf Dauer nicht zu einseitig wird, finden Sie hier außerdem Ausgleichsübungen für Ihren Rücken.

Ausdauer- und Ausgleichstraining

Ein ausgewogenes Trainingsprogramm sollte sowohl Übungen zum Fettabbau als auch zum Muskelaufbau enthalten. Liegt Ihr BMI-Wert bzw. Ihr Köperfettanteil über dem Normalbereich, dann empfiehlt sich ein Trainingsschwerpunkt im Bereich des Fettabbaus. Darüber hinaus spielen Ausgleichsübungen für den Rücken eine nicht unwesentliche Rolle für ein ausgewogenes Training.

Effektives *Ausdauertraining*

Für den effizienten Fettabbau bieten sich im Wesentlichen zwei Arten des Ausdauertrainings an: das Fettstoffwechseltraining und das intensive Ausdauertraining.

Das Fettstoffwechseltraining

Beim Fettstoffwechseltraining baut der Körper bereits während der Belastung Fett ab (bei allen anderen Trainingsmethoden dieses Buches wird Fett erst nach der Belastung vermehrt abgebaut).

Es gilt folgender Grundsatz: Trainieren Sie bei geringer Anstrengung über einen langen Zeitraum. Lang andauernd bedeutet in diesem Zusammenhang eine Belastungszeit von mindestens einer Stunde. Bis zu diesem Zeitpunkt werden vorwiegend Kohlenhydrate verbrannt. Erst dann setzt vermehrt Fettverbrauch ein. Nach oben sind der Belastungsdauer fast keine Grenzen gesetzt. Vorteil dieser Trainingsmethode: Plagen und Schuften ist nicht notwendig. Eine gesellige Radtour mit Freunden oder der Familie werden Sie sicherlich nicht als unangenehm empfinden, auch wenn sie über mehrere Stunden andauert.

Die Belastung beim Training lässt sich durch Bestimmung der Herzfrequenz (= Anzahl der Herzschläge pro Minute) genau dosieren. Je höher die Herzfrequenz, desto höher der Kohlenhydratverbrauch, je niedriger die Herzfrequenz, desto mehr wird Energie aus Fetten gewonnen. In der nachfolgenden Tabelle finden Sie den für Sie optimalen Trainingspuls in Abhängigkeit von Alter und Ruhepuls. Den Ruhepuls bestimmen Sie morgens unmittelbar vor dem Aufstehen. Zählen Sie dazu zehn Sekunden Ihre Herzschläge und nehmen Sie die Anzahl mal sechs.

Unser Körper gewinnt Energie vorwiegend aus Kohlenhydraten und Fetten. Kohlenhydrate werden hauptsächlich bei kurzen und intensiven Belastungen verbraucht. Fette liefern Energie für lang andauernde Aktivitäten bei relativ geringer Belastung.

Wählen Sie Ruhepuls (RP) und Alter, die Ihnen am nächsten liegen. Beispiel: Sie haben einen Ruhepuls von 60. Sie sind 35 Jahre alt. Ihr optimaler Trainingspuls für das Fettstoffwechseltraining sollte bei etwa 135 Schlägen liegen.

Der optimale Trainingspuls beim Fettstoffwechseltraining

Alter	RP 50	RP 60	RP 70	RP 80	RP 90
20	140	144	148	152	156
25	137	141	145	149	153
30	134	138	142	146	150
35	131	135	139	143	147
40	128	132	136	140	144
45	125	129	133	137	141
50	122	126	130	134	138
55	119	123	127	131	135
60	116	120	124	128	132
65	113	117	121	125	129
70	110	114	118	122	126

Pulskontrolle während des Trainings

Eine optimale und einfache Kontrolle der Herzfrequenz bieten automatische Pulsfrequenzmesser (Brustgurt, Ohrclip). Beim Überschreiten bzw. Unterschreiten der vorgegebenen Zielherzfrequenz gibt das Gerät einen Signalton und ermöglicht dadurch eine ständige Kontrolle. Derartige Herzfrequenzmessgeräte sind in jedem Sportgeschäft ab etwa 50 Euro erhältlich. Es geht aber natürlich auch ohne technische Gerätschaften. Unterbrechen Sie kurz das Training und messen Sie für zehn Sekunden Ihre Herzschläge mit zwei Fingerkuppen nahe des Kehlkopfs an der Halsschlagader. Multiplizieren Sie den Wert mit sechs und Sie erhalten Ihre aktuelle Herzfrequenz.

Für das Ausdauertraining sind alle Sportarten geeignet, die viele Muskeln gleichzeitig beanspruchen. Auf Seite 76 finden Sie eine Auswahl an Sportarten.

Das intensive Ausdauertraining

Ziel des Fettstoffwechseltrainings ist eine unmittelbare Nutzung und der Verbrauch der Fettreserven. Die Wirkungsweise eines intensiven Ausdauertrainings baut in erster Linie auf einen hohen Energieverbrauch während der Belastung und damit auf einen positiven Einfluss auf die Energiebilanz. Während des Trainings werden große Mengen Kohlenhydrate, aber nur wenig Fett verbrannt. Nach der Belastung kommt es zu einer Art »Nachbrenneffekt«, der zusätzlich die Fettreserven angreift.

Diese Art des Trainings ist ideal für Menschen mit wenig Zeit. Für Anfänger sind 20 bis 30 Minuten ausreichend. Auch Könner sollten aufgrund der hohen Belastung eine Dauer von 60 Minuten nicht überschreiten, da es sonst zu Überlastungen kommen kann. Ihre optimale Belastung wählen Sie anhand der nachstehenden Tabelle.

Der optimale Trainingspuls beim Ausdauertraining

Alter	RP 50	RP 60	RP 70	RP 80	RP 90
20	170	172	174	176	178
25	166	168	170	172	174
30	162	164	166	168	170
35	158	160	162	164	166
40	154	156	158	160	162
45	150	152	154	156	158
50	146	148	150	152	154
55	142	144	146	148	150
60	138	140	142	144	146
65	134	136	138	140	142
70	130	132	134	136	138

Beim Ausdauertraining sollten Sie die Trainingsbelastung von Zeit zu Zeit an Ihre verbesserte Ausdauer anpassen.

So sieht die Praxis aus

- Trainieren Sie regelmäßig – etwa zwei- bis viermal pro Woche – Ihre Ausdauer, so haben Sie einen optimalen Effekt beim Fettabbau. Einmaliges Training in der Woche ist nicht genug. Häufigeres Training ist als Hochleistungstraining zwar sinnvoll, birgt aber die Gefahr der Überlastung.
- Auf jede Belastung sollte eine Phase der Entlastung folgen. Der Körper braucht Zeit zur Regeneration, um für ein erneutes Ausdauertraining belastbar zu sein. Bei Ausdauerbelastungen reicht für Fortgeschrittene ein Tag Pause, für Einsteiger sind zwei bis drei Tage optimal. Trainingsunterbrechungen über vier oder mehr Tage sind zu lang und hemmen den Trainingserfolg. An Tagen, an denen Sie kein Ausdauertraining machen, kann ein Krafttraining durchgeführt werden, da dabei eine andere Art der Belastung wirkt.
- Trainieren Sie nach dem Prinzip der ansteigenden Belastung. Ihr Körper gewinnt durch gezieltes Training schnell an Leistungsfähigkeit und ist bei immer gleich bleibender Belastung unterfordert. Steigern Sie schrittweise die Belastung, indem Sie zuerst häufiger, dann länger und zuletzt intensiver trainieren.

Ausgleichsübungen für den Rücken

Damit Ihr Training nicht zu einseitig wird, sollten Sie Übungen zur Kräftigung der Rückenmuskulatur in jedes Krafttraining einbauen. Der Schwierigkeitsgrad sollte Ihrem Trainingsstand entsprechen.

Für Anfänger: Übung leicht

Aufgabe: etwa 30–60 Sekunden halten
Durchgänge: 4–6
Pause: 30 Sekunden

Übungsposition: Legen Sie sich auf den Rücken und winkeln Sie Ihre Beine an. Heben Sie die Fußspitzen vom Boden ab, sodass das Gewicht auf den Fersen liegt. Bringen Sie nun das Gesäß so weit nach oben, bis Rumpf und Oberschenkel eine Linie bilden, und halten Sie diese Position 30 bis 60 Sekunden. Das Gesäß darf nicht absinken. Atmen Sie gleichmäßig und halten Sie nicht die Luft an. Nach der Anspannung absenken und 30 Sekunden pausieren. Dann wieder anspannen.

Übung leicht

Sie können diese einfache Ausgleichsübung (aber auch die schwereren) anstelle der Pausen zwischen den Durchgängen des Bauchkrafttrainings durchführen. Das erhöht den Energieverbrauch und spart Ihnen Zeit. Sie müssen die Ausgleichsübungen dann nicht im Anschluss an das Bauchtraining durchführen.

Für Fortgeschrittene: Übung mittel

Aufgabe: 15–30 Schritte im Sekundenrhythmus
Durchgänge: 3–5
Pause: 30 Sekunden

Übungsposition: Legen Sie sich auf den Rücken und winkeln Sie Ihre Beine an. Heben Sie die Fußspitzen vom Boden ab, sodass das Gewicht auf den Fersen liegt. Bringen Sie Ihr Gesäß so weit nach oben, bis Rumpf und Oberschenkel eine Linie bilden. Heben Sie nun im Sekundenrhythmus abwechselnd das linke und das rechte Bein leicht vom Boden ab, so als ob Sie auf der Stelle gehen würden. Atmen Sie dabei ruhig und gleichmäßig und halten Sie nicht die Luft an.

Wichtig: Der Rumpf darf sich während der Schritte nicht absenken. Halten Sie also den Rücken gestreckt, damit Sie die Position halten und einen optimalen Trainingseffekt erzielen.

Übung mittel

Aufgabe: 15–30 Wiederholungen
3–5 Durchgänge je Bein
Pause: 10–20 Sekunden

Für Könner: Übung schwer

Ausgangsposition: Legen Sie sich auf den Rücken. Winkeln Sie die Beine an und stellen Sie sich auf die Fersen. Ziehen Sie ein Bein in Richtung Brust. Verlagern Sie das Gewicht auf das andere Bein und heben Sie das Becken leicht an.

Endposition: Bringen Sie das Becken nun ganz nach oben, bis der Rumpf und der Oberschenkel des aufgestellten Beines eine Linie bilden. Wechseln Sie dann nach einer kurzen Pause auf das andere Bein.

Wichtig: Vermeiden Sie ein seitliches Absinken des Beckens und halten Sie die Lendenwirbelsäule während des gesamten Bewegungsablaufes gestreckt. Setzen Sie den Körper in der Ausgangsposition nicht ab; ruhig atmen.

Übung schwer

Bestimmte Stoffe in der Nahrung sorgen dafür, dass Nahrungsfett in die Körperzellen wandert, wo es in Energie umgesetzt wird. Diese so genannten Fatburner fördern aber nicht nur den Abtransport, sondern sind selbst an der Fettverbrennung beteiligt. Mit ihrer Hilfe können Sie Speckpolster gezielt abbauen – ohne zu fasten oder zu hungern. Die folgenden Rezepte zeigen Ihnen, wie Sie mit Genuss Pfund für Pfund verlieren.

Fatburner-Rezepte – schneller Weg zur Traumfigur

Frühstück

Das Frühstück ist die wichtigste Mahlzeit des Tages; deshalb sollten Sie besonders darauf achten, vollwertig zu essen und leeren Kohlenhydraten aus weißem Mehl und Zucker eine klare Absage zu erteilen.

Joghurtmüsli mit Früchten

Joghurtmüsli mit Früchten

Zutaten pro Person

- 150 g fettarmer Joghurt
- 150 g Früchte
- 5–6 EL kernige Haferflocken

1. Den Joghurt in einen Suppenteller geben.
2. Die Früchte waschen, putzen, verlesen und in mundgerechte Stücke schneiden.
3. Die Fruchtstücke unter den Joghurt mischen, die Haferflocken kurz unterheben und das Müsli gleich verzehren.

Frisches Erdbeerbrötchen mit Hüttenkäse

Zutaten pro Person

- 1 Vollkornbrötchen
- 4 EL Hüttenkäse
- 100 g Erdbeeren

1. Die Erdbeeren vorsichtig in stehendem Wasser waschen, den Stielansatz entfernen und die Beeren in Scheiben schneiden.
2. Das Brötchen halbieren, den Hüttenkäse darauf verteilen und mit den Erdbeeren belegen.

Extratipp: Haben die Früchte wenig Süße, können Sie den Geschmack mit etwas Honig abrunden.

Pikanter Brotaufstrich mit Paprikaquark

Zutaten für 2 Personen

- 200 g Magerquark
- 1 grüne Paprikaschote
- 1 EL gehackte Blattpetersilie
- Paprika edelsüß
- Pfeffer aus der Mühle

Extratipp: Dieser erfrischend-pikante Brotaufstrich schmeckt auch gut zu Pellkartoffeln.

1. Den Quark in eine Schüssel geben.
2. Die Paprikaschote halbieren. Den Strunk, die Häute und Kerne gut ausschneiden. Die Paprika ausspülen, trockentupfen und anschließend sehr fein schneiden.
3. Die Paprikastücke zusammen mit Petersilie, Paprika und Pfeffer unter den Quark ziehen und abschmecken.

Champignon-Käse-Brot

Zutaten für ein Brot

- 60 g Champignons
- Saft von 1/2 Zitrone
- 1 EL Petersilie (auch TK)
- frisch gemahlener Pfeffer
- Salz
- 1 Scheibe Vollkornbrot
- 1 Scheibe Tilsiter
- 1 TL Olivenöl

1. Die Champignons putzen und in Scheiben schneiden.
2. Die Pilze mit Zitronensaft und Petersilie vermengen, mit Pfeffer und Salz abschmecken.
3. Die Champignons auf der Brotscheibe verteilen, den Käse darüber legen und das Brot in einer beschichteten Pfanne zugedeckt erwärmen, bis der Käse geschmolzen ist.

Pikantes Brötchen mit Ei

Zutaten

- 1 Vollkornbrötchen
- 30 g Gorgonzola
- 1 TL Honig
- 1 TL Kräuterfrischkäse
- 1 Salatblatt
- 2 Scheiben Gemüsesulze
- 1 Ei
- Kräutersalz

Extratipp: Dazu schmeckt eine Vollkornbrezel.

1. Das Brötchen halbieren, eine Hälfte mit Gorgonzola belegen und mit Honig beträufeln.
2. Die andere Hälfte mit Frischkäse bestreichen, das gewaschene Salatblatt und die Gemüsesülze darauf legen. Das Ei nach Geschmack weich oder hart kochen und mit Kräutersalz bestreuen.

Zwischenmahlzeiten (Snacks und Drinks)

Wer kennt nicht den »kleinen Hunger« oder das »Elf-Uhr-Loch«, wenn man zwischen den Hauptmahlzeiten einfach eine kulinarische Aufmunterung braucht, um seine Energietanks wieder aufzufüllen? Ernährungsexperten wissen das – und haben für Sie die richtigen Rezepte für zwischendurch parat.

Rucola-Tomaten-Quark

Zutaten pro Person

- 50 g jungen Rucola (= Rauke)
- 1 Eiertomate
- 160 g Magerquark
- 2 EL Mineralwasser
- 1 gehäufter EL gehacktes Basilikum
- Salz
- Pfeffer aus der Mühle
- 1 Vollkornbrötchen

1. Den Rucolasalat waschen und trockenschwenken. Die Tomate waschen, den Stielansatz entfernen und das Fruchtfleisch in feine Würfel schneiden.
2. Den Quark mit Mineralwasser, gehacktem Basilikum und Tomatenwürfeln verrühren. Mit Salz und Pfeffer abschmecken.
3. Den Quark auf dem Rucolasalat anrichten und mit dem Brötchen servieren.

Tomatenbaguette

Tomatenbaguette

Zutaten pro Person

- 150 g Tomaten
- 1 Knoblauchzehe
- Salz
- frisch gemahlener Pfeffer
- 1 knapper TL Olivenöl
- 3 Scheiben Vollkornbaguette
- Basilikumblätter zum Garnieren

1. Die Tomaten waschen, die Stielansätze entfernen. Fruchtfleisch in sehr feine Würfel schneiden und in eine Schüssel geben.

Extratipp: Das Tomatenbaguette ist ein erfrischender Snack an heißen Tagen.

2. Den Knoblauch abziehen, zerdrücken und zu den Tomaten geben. Mit wenig Salz, aber reichlich Pfeffer abschmecken. Das Öl unterrühren.
3. Die Baguettescheiben toasten.
4. Die Tomaten gleichmäßig auf dem Brot verteilen. Mit Basilikumblättern garnieren und sofort verzehren.

Das Tatarbrötchen kann man aus den unterschiedlichsten Vollkornbrötchen zubereiten.

Tatarbrötchen

Zutaten pro Person

- 120 g Tatar
- 1 TL gehackte Blattpetersilie
- Pfeffer aus der Mühle
- Paprika edelsüß
- 1 Kornspitz
- 2 große Salatblätter
- 6 Scheiben Tomaten
- einige Zwiebelringe
- 6 Scheiben Salatgurke

1. Das Tatar mit etwas Wasser und der Petersilie zu einem Teig kneten. Mit Pfeffer und Paprika abschmecken. Mit angefeuchteten Händen drei kleine flache Küchlein formen. Eine beschichtete Pfanne erhitzen, die Küchlein bei geschlossenem Deckel fünf Minuten garen, dabei einmal wenden.
2. In der Zwischenzeit den Kornspitz durchschneiden.
3. Die Salatblätter waschen und trockentupfen und auf das Brot legen; die Tomaten- und Gurkenscheiben abwechselnd schuppenförmig daraufsetzen.
4. Die fertigen Fleischküchlein aus der Pfanne nehmen, auf das Gemüse setzen, die Zwiebelringe darauf verteilen und die obere Hälfte des Kornspitzes darauf legen.

Obst

- 1/2 Honigmelone oder 150 g Sauerkirschen oder 1 Birne oder 1 Apfel oder 250 g Erdbeeren

Nüsse

- 1 Hand voll gemischte ungesalzene Nüsse

Energieriegel

Zutaten (für ca. 20 Stück)

- 60 g Aprikosen
- 60 g Datteln
- 60 g Rosinen
- 60 g Feigen
- 30 g Sonnenblumenkerne
- 30 g Sesamkörner
- 30 g Haselnusskerne
- 30 g Walnusskerne
- 120 g Haferflocken
- 2 TL Akazienhonig
- 4 TL Zitronensaft
- 2 TL Birnendicksaft
- 1 TL Pflanzenöl

1. Zunächst den Backofen auf 180 °C (Umluft 160 °C, Gas Stufe 2–3) vorheizen.
2. Die Früchte und die Nüsse mit dem Wiegemesser fein wiegen oder im Mixer zerkleinern.
3. Anschließend mit den Haferflocken, dem Akazienhonig, dem Zitronensaft und dem Birnendicksaft zu einer gleichförmigen Masse vermischen.
4. Die klebrige Masse auf ein sehr sparsam geöltes Backblech streichen und im Backofen 10 bis 15 Minuten backen.
5. Aus dem Ofen nehmen und gleich mit einem Messer in Rechtecke schneiden. Die Riegel auskühlen lassen und in einer verschließbaren Dose aufbewahren.

Energieriegel

Extratipp: Dieser Energieriegel ist zwar sehr kalorienhaltig, aber da er ohne Fett zubereitet wird, ersetzt er den »kleinen Hunger« auf Schokolade oder Bonbons.

Grüner Kefir

Zutaten pro Person

- 150 ml fettarmer Kefir
- 2 Kiwis
- 1 TL Honig
- 1 EL Hefeflocken (nach Belieben)

1. Die Kiwis schälen, vierteln und den weißen Strunk ausschneiden.
2. Die Kiwiviertel zusammen mit dem Honig und dem gut gekühlten Kefir im Mixer pürieren.
3. In ein Glas füllen, nach Geschmack Hefeflocken darüber streuen und sofort verzehren.

Hauptgerichte für Mittag und Abend

Essen, sogar richtig schlemmen, und dabei nicht an die Figur denken müssen? Bei unseren leckeren Rezepten ist für jeden etwas dabei; alle Gerichte sind aus figurfreundlichen Zutaten zusammengestellt und lassen überflüssiges Fett einfach und schnell verschwinden.

Gemüsesuppe »Vier Jahreszeiten«

Zutaten für 4 Personen

- 200 g getrocknete dicke Bohnen
- 250 g Spitzkohl
- 250 g Tomaten
- 250 g Auberginen
- 250 g Zucchini
- 1 Zwiebel
- 100 g Steinpilze
- 1 Bund Petersilie
- Weißwein zum Abschmecken
- 1,5 l Gemüsebrühe
- frisch gemahlener Pfeffer aus der Mühle
- Salz
- 150 g Vollkornnudeln

1. Die Bohnen über Nacht in Wasser einweichen. Dann im Einweichwasser im Dampfdrucktopf knapp 20 Minuten garen, abseihen.
2. Inzwischen den Kohl putzen, den Strunk entfernen und den Kohl in Würfel schneiden. Die Tomaten waschen, die Stielansätze entfernen und das Fruchtfleisch würfeln. Die Zucchini und Auberginen waschen, den Stielansatz abschneiden und das Gemüse würfeln. Die Zwiebel abziehen und fein würfeln. Die Steinpilze putzen und in Scheiben schneiden. Die Bohnen abgießen. Die Petersilie waschen, trockenschwenken und fein hacken.
3. Die Zwiebel im Dampfdrucktopf glasig dünsten, das Gemüse zugeben, kurz dünsten, mit Wein ablöschen, mit Gemüsebrühe aufgießen, Deckel schließen und 5 Minuten garen.
4. Währenddessen die Vollkornnudeln nach Packungsangabe in reichlich Salzwasser bissfest garen. Danach abschütten und zum Gemüse geben. Mit Pfeffer und Salz abschmecken und die gehackte Petersilie untermischen.

Gefüllte Zucchini (Foto siehe Seite 56)

Zutaten für 4 Personen

- 200 ml Wasser
- Salz
- 200 g Bulgur
- 4 Zucchini
- 2 Schalotten
- 2 Knoblauchzehen
- 4 Tomaten
- frisch gemahlener Pfeffer
- 100 g geriebener Käse (Emmentaler, Gouda)

1. Das Wasser mit einer Prise Salz zum Kochen bringen, den Bulgur einrühren und 10 Minuten bei ausgeschalteter Platte quellen lassen.
2. Die Zucchini waschen, der Länge nach durchschneiden, das Fruchtfleisch mit einem Esslöffel auskratzen und klein hacken. Die Schalotten und den Knoblauch abziehen, fein würfeln. Die Tomaten waschen, halbieren und mit einem Esslöffel die Kerne herausnehmen. Das Fleisch fein würfeln und alles zum Bulgur geben.
3. Die Masse anschließend zu einem gleichmäßigen Teig verarbeiten und mit Pfeffer abschmecken.
4. Drei Viertel der Masse in die Zucchinihälften füllen. Den Rest in eine feuerfeste, leicht geölte Form geben.
5. Die gefüllten Zucchini darauf setzen, mit Käse bestreuen und bei 200 °C (Umluft 180 °C, Gas Stufe 3) 20 bis 30 Minuten backen.

Gemüsesoufflé mit Tomatensauce

Zutaten für 4 Personen

- insgesamt 450 g Zucchini und gelbe Paprikaschoten
- 1 TL Butter
- 1/2 Bund glatte Petersilie
- 1/2 Bund Schnittlauch
- 3 Eier
- 30 g Weizenvollkornmehl
- 1/4 l Magermilch
- 40 g geriebener Parmesankäse
- Salz
- frisch gemahlener Pfeffer aus der Mühle

Für die Sauce

- 500 g Eiertomaten
- 1 Zwiebel
- 1 Knoblauchzehe
- 1 Bund gemischte Kräuter (Oregano, Thymian, Basilikum, Majoran)

Extratipp:
Zum Gemüsesoufflé passen alle Blattsalate.

Gemüsesoufflé mit Tomatensauce

1. Den Boden einer Auflaufform mit wenig Butter auspinseln.
2. Das Gemüse waschen, putzen und raspeln. Die Kräuter waschen, trockenschwenken und fein schneiden bzw. hacken. Die Eier trennen, das Eiweiß sehr steif schlagen, die Eigelbe beiseite stellen.
3. Das Mehl in einen Topf geben und bei mittlerer Hitze unter ständigem Rühren anrösten, bis es duftet. Die kalte Milch unter Rühren zugießen und kochen lassen, bis eine dickflüssige Masse entsteht, beiseite stellen und etwas abkühlen lassen.
4. Den Backofen auf 200 °C vorheizen (Umluftherd 180 °C, Gas Stufe 3). Nacheinander Käse, Eigelbe, Gemüse und Kräuter unterrühren, mit Salz und Pfeffer abschmecken. Den Eischnee unterziehen, in die vorbereitete Form füllen und das Soufflé etwa 1/2 Stunde backen.
5. Inzwischen für die Sauce die Tomaten waschen, die Stielansätze entfernen und das Fruchtfleisch in feine Würfel schneiden, die Hälfte der Würfel pürieren. Zwiebel und Knoblauch abziehen und fein schneiden. Die Kräuter waschen, trockenschwenken, fein hacken. Alles mit den Tomaten mischen und mit Pfeffer abschmecken.

Heilbutt auf Rettichgemüse

Zutaten für 4 Personen

- 800 g Heilbutt
- Zitronensaft
- 1 kg Rettich
- 4 EL trockener Weißwein
- 2 EL Wasser
- Salz
- frisch gemahlener Pfeffer aus der Mühle
- 1 Bund Petersilie
- 50 ml Magermilch
- 1 Msp. Meerrettich

1. Den Fisch säubern, mit Zitronensaft beträufeln und beiseite stellen.
2. Den Rettich waschen, von den Blättern befreien und schälen. In kleinfingerdicke Stifte schneiden.
3. Den Wein und das Wasser in einem Topf zum Kochen bringen, den Rettich zugeben und 5 Minuten bei geschlossenem Topf garen.

4. Den Fisch salzen und pfeffern und nach der Betriebsanleitung Ihres Backofens grillen. Die Petersilie waschen, abzupfen und fein hacken.
5. Ein Drittel des Gemüses aus dem Topf nehmen, im Mixer mit einem Schuss Milch und etwas Meerrettich pürieren und unter die Rettichstücke mischen. Die Petersilie unterrühren und alles sofort servieren.

Extratipp: Zum Heilbutt reichen Sie am besten Kartoffeln.

Lasagne

Zutaten für 4 Personen

- 1 Zwiebel
- 2 Knoblauchzehen
- 1 Karotte
- 400 g Putenhackfleisch oder Tatar
- 1 Glas trockener Weißwein
- 1 kleine Dose Tomatenmark
- 1/2 l passierte Tomaten
- Oregano
- Basilikum
- frisch gemahlener Pfeffer aus der Mühle
- 1 EL Reismehl
- 300 ml Magermilch
- Muskat
- Salz
- 1 Beutel Mozzarella
- 50 g geriebener Parmesan
- 400 g grüne oder weiße Lasagneplatten

1. Die Zwiebel und den Knoblauch abziehen, fein würfeln. Die Karotte schälen und fein würfeln.
2. Eine beschichtete Pfanne erhitzen, die Zwiebel darin andünsten, das Hackfleisch zugeben, die Temperatur hoch schalten und das Fleisch anbraten. Wenn der Fleischsaft verkocht ist, mit Wein ablöschen, den Knoblauch und die Karottenwürfel zusammen mit dem Tomatenmark zugeben und einkochen. Sobald der Wein verkocht ist, die passierten Tomaten zugeben, mit Oregano, Basilikum und Pfeffer abschmecken. Zugedeckt bei kleiner Hitze kochen lassen.
3. In der Zwischenzeit das Reismehl in einem kleinen Topf unter Zugießen von etwas Milch zu einer Paste verrühren.
4. Zuletzt die restliche Milch zuschütten und aufkochen lassen. Mit Muskat und wenig Salz abschmecken und 5 Minuten leise kochen lassen.

5. Inzwischen den Mozzarella aus dem Beutel nehmen, das Wasser abgießen und den Käse in Stücke reißen. Beide Saucen, noch warm, abwechselnd mit den Nudelplatten in eine feuerfeste Form schichten. Den Mozzarella jeweils zur weißen, den Parmesan zur roten Sauce geben. Mit einer roten Schicht abschließen.
6. Den Parmesan darüber streuen und zugedeckt im Backofen bei 200 °C (Umluft 180 °C, Gas Stufe 3) 1/2 Stunde garen. Den Deckel abnehmen und weitere 20 bis 30 Minuten backen.

Tofupfanne

Tofupfanne

Zutaten für 4 Personen

- 300 g fester Tofu
- 1 Stange Lauch
- 200 g Brokkoli
- 2 Karotten
- 3 Stangen Staudensellerie
- 70 g Kichererbsensprossen
- 1 Bund Koriandergrün
- 100 g TK-Erbsen
- 70 g Kürbiskernsprossen
- 1 TL Erdnussöl
- Cayennepfeffer
- Kurkuma
- frisch gemahlener Pfeffer aus der Mühle

1. Den Tofu abgießen, in kleine Würfel schneiden.
2. Lauch, Brokkoli, Karotten, Sellerie, Sprossen und Koriandergrün waschen und klein hacken bzw. schneiden.
3. Das Öl in einer beschichteten Pfanne erhitzten, das Gemüse mit den Erbsen und den Kichererbsensprossen zugeben und bissfest dünsten. Das gehackte Koriandergrün unterziehen. Mit Pfeffer und Kurkuma abschmecken.
4. Den Tofu und die Kürbiskernsprossen unterrühren und sofort servieren.

Bunte Kalbfleischpfanne

Zutaten für 4 Personen

- 25 g getrocknete Mu-Err-Pilze
- 3 Karotten
- 300 g Mangold
- 1 Bund Lauchzwiebeln

- 400 g Kalbsfilet
- 1 EL Walnussöl
- gut 1/8 l Gemüsebrühe
- 200 g Bohnenkeimlinge
- Tabasco
- frisch gemahlener Pfeffer aus der Mühle
- Salz
- Sojasauce
- reichlich glatte Petersilie

Extratipp: Dazu schmeckt Vollkornreis besonders gut.

1. Die Trockenpilze in lauwarmem Wasser 3 Stunden quellen lassen, anschließend abgießen.
2. Die Karotten schälen und in feine Streifen schneiden. Den Mangold waschen, verlesen und in feine Streifen schneiden. Die Lauchzwiebeln abziehen und in Ringe schneiden. Das Fleisch in fingerdicke Streifen schneiden.
3. Eine beschichtete Pfanne mit Öl auspinseln und erhitzen, das Fleisch darin anbraten, das Fett abgießen und das Fleisch herausnehmen.
4. Die Karotten in die Pfanne geben und bei geschlossenem Deckel 5 Minuten dünsten.
5. Währenddessen die Pilze in Streifen schneiden und mit den Zwiebeln und dem Mangold dazugeben. Kurz dünsten und anschließend mit der Brühe aufgießen. Zuletzt die Bohnenkeimlinge mit dem Fleisch unterrühren und erhitzen.
6. Die Kalbfleischpfanne mit Tabasco, Pfeffer, Salz und Sojasauce abschmecken. Die Petersilie waschen, trockenschwenken und unterrühren.

Kalbfleischpfanne

Pochierte Eier auf Feldsalat

Zutaten für 4 Personen

- 450 g Feldsalat
- 4 Tomaten
- 1 l Wasser
- 100 ml Kräuteressig
- 4 Eier
- 2 Zwiebeln
- 1 Bund Dill
- 1 EL Zitronensaft
- 1 EL Walnussöl
- 4 EL Magerjoghurt
- 2 EL mittelscharfer Senf
- 1 EL Akazienhonig
- frisch gemahlener Pfeffer aus der Mühle
- 1 Bund Radieschen

1. Den Salat verlesen, waschen, trockenschwenken und auf vier flachen großen Tellern verteilen.
2. Die Tomaten waschen, die Stielansätze entfernen, die Tomaten in kleine Würfel schneiden und auf dem Feldsalat verteilen.
3. Das Wasser zum Kochen bringen, den Essig dazugeben. Jedes Ei einzeln in eine Untertasse schlagen und ins Essigwasser gleiten lassen. 5 Minuten ziehen lassen.
4. Währenddessen für das Dressing die Zwiebeln abziehen, würfeln, den Dill waschen, abzupfen und fein wiegen.
5. Die Zwiebeln, den Dill, den Zitronensaft, das Öl, den Joghurt, den Senf und den Akazienhonig in ein hohes Gefäß geben und mit dem Schneebesen kräftig durchschlagen. Mit Pfeffer abschmecken.
6. Das Dressing in die Mitte des Salates geben, jeweils ein Ei darauf setzen und zuletzt die Radieschen waschen und darüber raspeln.

Putenschnitzel auf Chicorée-Salat

Putenschnitzel auf Chicorée-Salat

Zutaten für 4 Personen

- 8 Chicorée
- 4 Kiwis
- 1 Ananas
- 250 g Erdbeeren
- 250 g Magerjoghurt
- 4 EL geh. grüne Pfefferkörner
- 1 TL Honig
- 2 TL gehackter Dill
- 1 Prise Salz
- 4 x 150 g Putenschnitzel
- frisch gemahlener Pfeffer
- 1 Tasse gemischte Sprossen

1. Vom Chicorée den Strunk mit einem Messer ausschneiden, die Blätter voneinander lösen, waschen und gut abtropfen lassen.
2. Die Kiwis mit einem Kartoffelschäler abschälen und in Scheiben schneiden. Die Ananas schälen, halbieren, vom Strunk befreien, achteln und fein aufschneiden. Die Erdbeeren vorsichtig waschen, die Stielansätze entfernen und die Beeren vierteln.
3. Aus Joghurt, Pfefferkörnern, Honig und Dill ein Dressing rühren und mit Salz abschmecken.
4. Die Schnitzel waschen, trockentupfen, pfeffern und in einer beschichteten Pfanne von jeder Seite 3 Minuten anbraten.
5. Die Chicoréeblätter auf vier Tellern jeweils sternförmig auslegen. Das Obst darauf anrichten und mit Dressing übergießen. Die Sprossen kalt abbrausen und darüber streuen. Das Fleisch noch warm in fingerdicke Streifen schneiden und auf dem Salat anrichten.

Extratipp: Dazu schmeckt am besten frisches Vollkornbrot.

Garnelenspieße mit Kressesauce

Zu den Garnelenspießen passt gut ein Gemüserisotto.

Zutaten für 4 Personen

- 20 rohe geschälte Tiefseegarnelen
- 1 ungespritzte Limette
- 2 Knoblauchzehen
- 1 TL Paprikapulver edelsüß
- 1 Msp. Kurkuma
- 2 TL neutrales Pflanzenöl
- 250 g Magerquark
- 125 g Magerjoghurt
- Mineralwasser
- 2 Kästchen Kresse
- frisch gemahlener Pfeffer
- Salz

1. Die Garnelen putzen und auf Spieße stecken.
2. Die Limette abreiben, durchschneiden und eine Hälfte auspressen. Den Knoblauch abziehen und zerdrücken.
3. Aus der Limettenschale, zwei Esslöffeln Limettensaft, Knoblauch, Paprika, Kurkuma und Öl eine sämige Marinade rühren und die Garnelen damit bepinseln. 45 Minuten zugedeckt im Kühlschrank durchziehen lassen.
4. In der Zwischenzeit Quark und Joghurt verrühren, bei Bedarf das Mineralwasser zugeben. Die Kresse abschneiden, fein hacken, unterrühren und das Ganze mit Pfeffer und Salz abschmecken. Die Garnelen in einer beschichteten Pfanne von beiden Seiten braten.

Süßspeisen

Süße Schlemmereien, die sich nicht in unschönen Pölsterchen am Bauch niederschlagen? Aber ja – Sie werden staunen, wie viele kalte und warme Süßspeisen Ihre schlanke Linie unterstützen.

Himbeertraum

Zutaten für 4 Personen

- 450 g Himbeeren
- 4 Blatt Gelatine
- 1/2 l kaltes Wasser
- 2 EL Akazienhonig
- 2 Eiweiß

1. Die Beeren vorsichtig waschen, die Stielansätze abzupfen und die Früchte verlesen. Einige Früchte zum Garnieren beiseite legen. Die Beeren kurz pürieren oder mit einer Gabel zerdrücken.
2. Die Gelatine in einem kleinen Topf mit kaltem Wasser 10 Minuten quellen lassen. Währenddessen den Honig unter das Fruchtmark rühren und die Eiweiße zu sehr steifem Schnee schlagen.
3. Die Gelatine aus dem Topf nehmen, das Wasser wegschütten, die Gelatine wieder in den Topf geben und bei kleiner Hitze unter Rühren auflösen – auf keinen Fall kochen!
4. Gelatine vom Herd nehmen und reichlich Fruchtmark unter Rühren zugießen. Anschließend die fruchtige Gelatinemasse zum Fruchtmark rühren. Den Eischnee unterziehen, in vier Schälchen füllen und mindestens eine Stunde steifen lassen. Den Himbeertraum kurz vor dem Servieren mit den restlichen Früchten garnieren.

Apfel-Joghurt-Eis

Zutaten für 4 Personen

- 3-4 Äpfel
- 1/4 l naturtrüber, ungesüßter Apfelsaft
- 1 Msp. Zimt
- 250 g Magerjoghurt

1. Die Äpfel waschen, schälen und in schmale Spalten schneiden.
2. In der Zwischenzeit den Apfelsaft mit dem Zimt zum Kochen bringen, dann die Apfelstücke zugeben und gar dünsten.
3. Die Apfelmischung beiseite stellen, abkühlen und danach im Kühlschrank völlig erkalten lassen.
4. Im Mixer mit dem Joghurt fein pürieren und im Tiefkühlschrank mindestens vier Stunden frosten lassen.

Extratipp:
Statt Zimt können Sie als Geschmackszutat auch gehackte Zitronenmelisse verwenden.

Buttermilch-Waffeln

Zutaten (für 5–6 Stück)

- 1 Ei
- 150 ml Buttermilch
- Salz
- 1 EL flüssiger Honig
- 3 EL Haferflocken
- 3 EL Dinkelmehl
- 1 Msp. Backpulver

1. Das Ei trennen. Das Eiweiß zu Schnee schlagen und kalt stellen. Die Buttermilch und das Eigelb mit dem Salz schaumig schlagen. Den Honig und die Haferflocken kurz unterrühren.
2. Das Mehl mit dem Backpulver unterheben und einige Minuten stehen lassen. Zuletzt den Eischnee vorsichtig unterziehen.
3. Den Teig im Waffeleisen backen.

Servieren Sie die Buttermilch-Waffeln mit Kompott, Marmelade oder Quark.

Rückenschmerzen sind zur Volkskrankheit Nummer eins geworden. Dabei ist es gar nicht schwer, gegen die Beschwerden anzugehen.

Problemzone Rücken

Schluss mit dem Schmerz

Ist Ihnen in letzter Zeit jemand begegnet, der nicht weiß, was Rückenschmerzen sind? Wohl kaum! Denn statistisch gesehen haben in Deutschland 80 bis 90 Prozent aller Erwachsenen im Laufe ihres Lebens schon einmal Rückenschmerzen gehabt. 30 bis 40 Prozent sind derzeit akut davon betroffen. Die Statistik sagt auch, dass Frauen häufiger als Männer unter Rückenschmerzen leiden, und dass die Probleme im Alter häufiger auftreten. Am stärksten ist die Altersgruppe zwischen 50 und 60 betroffen. Das heißt aber nicht, dass die Jüngeren verschont bleiben. Im Gegenteil: Bereits 30 Prozent der 7- bis 17-Jährigen leiden unter Rückenbeschwerden. Man kann also im wahrsten Sinne des Wortes von einem Volksleiden sprechen.

Der Durchschnittsrückenpatient ist weiblich, zwischen 50 und 60 Jahre alt, in schlechter körperlicher Verfassung und chronisch gestresst bzw. überfordert.

Doch nicht genug damit, dass wir alle mehr oder weniger häufig unter Rückenschmerzen leiden. Wir müssen dafür auch bezahlen. Ein Viertel des gesamten Geldes deutscher Krankenkassen wird allein für die Behandlung von Rückenproblemen ausgegeben. Das sind im Jahr 15 Milliarden Euro. Hinzu kommen weitere 10 Milliarden Euro volkswirtschaftlicher Verlust durch 60 Millionen fehlende Arbeitstage.

Werden Sie selbst *aktiv!*

Nie mehr Rückenschmerzen! Dieser Wunsch wird für immer mehr Menschen zum ständigen Begleiter. Und tatsächlich können Sie etwas gegen die Rückenschmerzen tun. Regelmäßige, aktive Kraftübungen sind jedoch nur ein Teilaspekt eines effektiven Rückentrainingskonzeptes. Gymnastik allein würde dem komplexen Problem nämlich nicht gerecht werden. Denn unser Rücken ist sehr sensibel. Er reagiert auf das, was sich eine »Etage« darüber abspielt: im Kopf. Viele Maßnahmen gegen Rückenschmerzen bleiben vor allem deshalb wirkungslos, weil man nur auf Muskeln oder Bandscheiben schaut.

Auf keinen Fall sollten Sie den vermeintlich einfachsten Weg gehen und den Schmerz einfach wegspritzen lassen. Zwar hätten Sie eine Weile Ihre Ruhe, das nächste schmerzhafte Erlebnis folgt jedoch gewiss. Das Fatale: Die schmerzfreien Intervalle werden immer kürzer, und irgendwann ist der Rückenschmerz chronisch.

Lassen Sie es also gar nicht erst so weit kommen, sondern starten Sie jetzt Ihr ganz persönliches Rückentraining.

Die Ursachen von Rückenschmerzen

Warum aber leiden so viele Menschen unter Rückenbeschwerden? Die Ursachen liegen in unserer modernen Kommunikations- und Dienstleistungsgesellschaft:

1. Wir verdienen unser Geld mit Bewegungslosigkeit! Ständiges Sitzen vor dem Computer führt zur chronischen Unterforderung der Muskulatur und des gesamten Bewegungsapparates. In unseren genetischen Anlagen ist das jedoch nicht vorgesehen. Wir sind seit mehr als 100 000 Jahren auf Bewegung programmiert.

Achten Sie darauf, sich nicht zu überfordern, wenn Sie mit dem Rückentraining beginnen. Sonst besteht die Gefahr, dass Sie nicht durchhalten.

2. Wir setzen uns einem ständigen Leistungsdruck aus. Unser Urahn, der Neandertaler, »erarbeitete« seinen Lebensunterhalt in 20 Wochenstunden. Den Rest der Zeit verbrachte er mit Schlafen und Spielen.

Nun hat sich unser Gehirn in den vergangenen Jahrtausenden sicherlich weiterentwickelt, aber mit ständigem Termin- und Leistungsdruck hat es immer noch seine Probleme. Sogar in der Freizeit setzen sich viele Menschen diesem Druck aus, anstatt einfach nichts zu tun. Die Folge ist Stress! Wird der chronisch, kann er zu psychischer Überlastung und schließlich auch zu Rückenschmerzen führen.

3. Rückenschmerz ist ein Symptom für die chronische Unterforderung des Körpers und die gleichzeitige chronische Überforderung des Kopfes. Wer Beschwerden hat, sollte daher nicht den Arzt, sondern sich selbst fragen, was er dagegen tun kann.

Die moderne Apparatemedizin steht dem Problem Rückenschmerzen praktisch hilflos gegenüber. Das ist auch nicht weiter verwunderlich, schließlich betrachtet die Medizin ausschließlich den Körper, und das auch nur dann, wenn uns bereits irgendetwas weh

Gut zu wissen

Lernen Sie Ihr persönliches Rückenrisiko kennen!

Die moderne Medizin weiß heute genau, welche Faktoren das Auftreten von Rückenbeschwerden begünstigen. Man spricht deshalb von so genannten Risikofaktoren. Die häufigsten Gründe für Rückenschmerzen sind:

1. Schwache Rumpfmuskulatur
2. Stress
3. Monotone Körperhaltung

tut. Bei 60 bis 70 Prozent aller Patienten findet der Arzt aus genau diesem Grund keine Ursachen für die Rückenschmerzen. Aus medizinischer Sicht wären diese Menschen also kerngesund.

Wer endlich eine dauerhafte Linderung der Beschwerden erreichen will, muss daher selbst die Initiative ergreifen. Werden Sie Fachmann oder Fachfrau in eigener Sache! Helfen Sie sich selbst! Wie? Den ersten Schritt haben Sie bereits getan, indem Sie dieses Buch noch nicht zur Seite gelegt haben.

Anhand einfacher Tests können Sie herausfinden, ob Sie zur Risikogruppe gehören und über kurz oder lang unter Rückenschmerzen leiden werden. Ob Sie Rückenbeschwerden bekommen oder nicht, hängt von der Gesamtsumme der Risikofaktoren ab.

Bewegung muss sein

Für viele Menschen ist eine schlechte körperliche Leistungsfähigkeit ganz normal geworden. Von Kindheit an sind sie es gewohnt, körperlichen Belastungen aus dem Weg zu gehen – und die moderne Lebensweise macht es ihnen leicht, ihr Fehlverhalten beizubehalten. Autos, Fahrstühle oder Rolltreppen sind einfach bequem, Radfahren, und Treppensteigen verlangen dagegen körperlichen Einsatz. Dabei vergessen viele von uns, dass unser Körper regelmäßige Belastungsreize braucht, um gesund zu bleiben. Sportliches Training ist heute eine unabdingbare Notwendigkeit, um Rückenbeschwerden vorzubeugen. Natürlich müssen Sie nicht zum Hochleistungssportler mutieren. Bewegen Sie sich in Maßen, aber regelmäßig. Mehr Infos zum Thema Ausdauersport finden Sie ab Seite 112.

Leider ist es aber auch mit einem wöchentlichen Ausdauertraining noch nicht getan. Denn die körperlichen Leistungsbereiche lassen sich unterscheiden in Ausdauer, Kraft, Beweglichkeit, Koordination und Schnelligkeit. Um Rückenproblemen vorzubeugen, kommt der Kraft der Muskulatur eine besondere Bedeutung zu. Vor allem die Bauch-, Rücken- und Schultermuskulatur ist dabei von zentraler Bedeutung: Diese Muskelgruppen geben der Wirbelsäule die notwendige Stabilität.

Bewegung ist nicht nur wichtig, um Rückenschmerzen zu vermeiden. Sie beugt auch anderen gesundheitlichen Problemen vor, wie z. B. Herz-Kreislauf-Erkrankungen oder Übergewicht.

Mit den folgenden Tests können Sie ganz leicht selbst einschätzen, ob Ihre Muskeln kräftig genug sind. Da Rückenbeschwerden aber immer von mehreren Faktoren abhängen, wird auf den nächsten Seiten nicht nur Ihre Kraft getestet. Sie können auch checken, ob Sie unter Stress stehen oder oft eine falsche Körperhaltung einnehmen. Denn dann kann es auch trotz starker Rumpfmuskulatur zu Rückenschmerzen kommen.

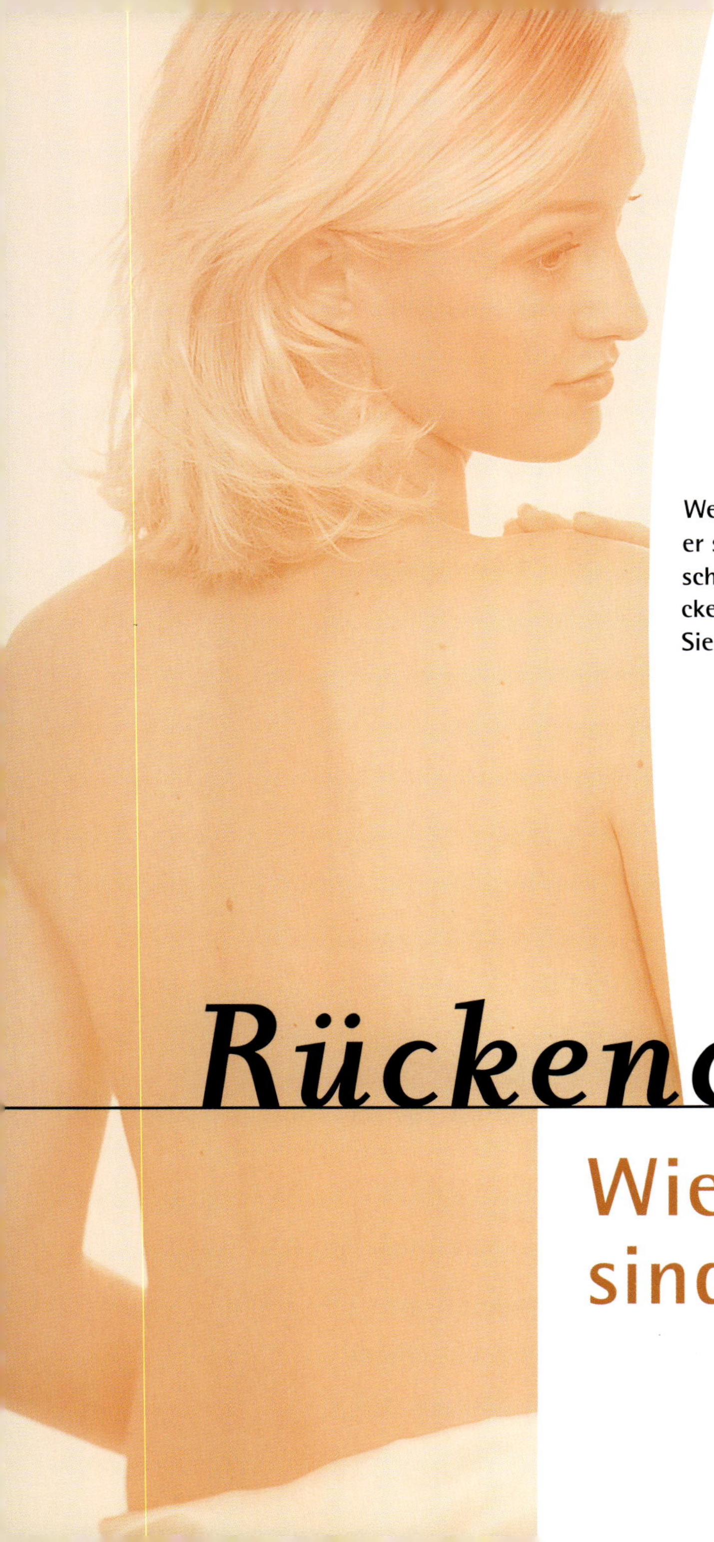

Wer weiß, welche Muskelgruppen er stärken muss, kann Rückenschmerzen effektiv zu Leibe rücken. Mit einfachen Tests können Sie feststellen, wo die Kraft fehlt.

Rückencheck

Wie fit sind Sie?

Jetzt geht's los! Legen Sie Stift und Papier bereit und starten Sie Ihren persönlichen Rückentest!

Testen Sie Ihre *Rückenmuskulatur*

Ausgangsposition: Legen Sie sich flach auf den Rücken, die Fersen auf einen Stuhl.

Endposition: Heben Sie nun das Becken so weit an, bis die Fersen, das Becken und die Schultern eine möglichst gerade Linie bilden. Halten Sie diese Position so lange wie möglich. Sobald das Becken nach unten zu sinken beginnt, ist der Test beendet.

Notieren Sie, wie lange Sie die Position gehalten haben, damit Sie für spätere Tests einen Vergleichswert haben und so den Muskelzuwachs kontrollieren können.

Test Rückenmuskulatur

Auswertung: Die unten stehende Tabelle zeigt, wie hoch Ihr persönliches Risiko ist, aufgrund einer zu schwachen Rückenmuskulatur Rückenprobleme zu bekommen.

Tipp: Wenn Sie ein hohes oder sehr hohes Risiko haben, turnen Sie vor allem die Kraftübungen für die Rückenmuskulatur ab Seite 79.

Haltezeit in sec.	Beurteilung
0 – 30 sec.	Sehr hohes Risiko
31 – 60 sec.	Hohes Risiko
61 – 120 sec.	Mittleres Risiko
121 – 240 sec.	Geringes Risiko
Mehr als 241 sec.	Kein Risiko

Testen Sie Ihre Bauchmuskulatur

Ausgangsposition: Legen Sie sich auf den Rücken; die Unterschenkel liegen auf einem Stuhl. Rollen Sie den Oberkörper nach vorn ein und schieben Sie die Stuhlbeine mit ausgestreckten Armen in Richtung der Füße. Die Testposition ist erreicht, wenn Sie den Rücken so weit es geht nach oben gerollt haben, die Lendenwirbel aber noch den Boden berühren.

Endposition: Nach einer kurzen Pause berühren Sie mit den Fingerspitzen die Stuhlbeine. Die Position so lange wie möglich halten. Sobald Sie den Kontakt verlieren, ist der Test beendet.

Notieren Sie, wie lange Sie die Position gehalten haben, damit Sie für spätere Tests einen Vergleichswert haben und so den Kraftzuwachs gut kontrollieren können.

Test Bauchmuskulatur

Auswertung: Die unten stehende Tabelle zeigt Ihnen, wie hoch Ihr persönliches Risiko ist, aufgrund einer zu schwachen Bauchmuskulatur Rückenprobleme zu bekommen.

Tipp: Wenn Sie ein hohes oder sehr hohes Risiko haben, trainieren Sie Ihre Bauchmuskeln mit den Übungen ab Seite 96.

Haltezeit in Sekunden	Beurteilung
0 – 30	Sehr hohes Risiko
31 – 45	Hohes Risiko
46 – 60	Mittleres Risiko
61 – 90	Geringes Risiko
Mehr als 91	Kein Risiko

Testen Sie Ihre *Schultermuskulatur*

Ausgangsposition: Stellen Sie sich mit dem Rücken zu einer Wand. Die Fersen sind etwa eineinhalb Fuß von der Wand entfernt. Gesäß, Rücken und Schulter bilden eine Linie und berühren die Wand. Die Arme sind in Schulterhöhe seitlich angewinkelt.

Endposition: Drücken Sie nun die Arme kräftig nach hinten, sodass Schultern, Rücken und Gesäß keinen Kontakt mehr zur Wand haben. Halten Sie diese Position so lange Sie können. Sobald das Becken nach hinten knickt oder die Arme nach unten zu sinken beginnen, ist der Test beendet.

Notieren Sie, wie lange Sie die Position gehalten haben, damit Sie für spätere Tests einen Vergleichswert haben und so den Kraftzuwachs der Schultermuskulatur kontrollieren können.

Auswertung: Die unten stehende Tabelle zeigt Ihnen, wie hoch das Risiko ist, aufgrund einer zu schwachen Schultermuskulatur Rückenprobleme zu bekommen.

Tipp: Wenn Sie ein hohes oder sehr hohes Risiko haben, Sie vor allem die Übungen für Brust- und Halswirbelsäule ab Seite 105 absolvieren.

Test Schultermuskulatur

Haltezeit in Sekunden	Beurteilung
0 – 10	Sehr hohes Risiko
11 – 25	Hohes Risiko
26 – 40	Mittleres Risiko
41 – 60	Geringes Risiko
Mehr als 61	Kein Risiko

Leiden Sie unter *Stress?*

Zahlreiche wissenschaftliche Untersuchungen haben erwiesen, dass Rückenpatienten im Vergleich zu beschwerdefreien Personen zu geringe Kraftwerte aufweisen.

Stress kann leistungsfördernd wirken. Allerdings nur dann, wenn er ein einmaliges Ereignis bleibt. Man spricht in diesem Fall von positivem Stress. Dauerstress macht dagegen krank.

Neben konstantem Bewegungsmangel ist Stress eines der wichtigsten Kennzeichen unserer modernen Leistungsgesellschaft. Aus zahlreichen wissenschaftlichen Untersuchungen wissen wir, dass Menschen, die unter Stress leiden, häufiger Rückenprobleme haben. So haben Wissenschaftler beispielsweise herausgefunden, dass Menschen, die mit Ihrem Arbeitsplatz unzufrieden sind, häufiger Rückenschmerzen haben als Menschen, die Ihren Beruf als Herausforderung sehen. Aber nicht nur der Arbeit kommt in puncto allgemeines Wohlbefinden eine tragende Rolle zu. Wir alle kennen dutzende anderer Stressquellen, wie Zeitdruck, Lärm, Über- oder Unterforderung, Geldsorgen oder Probleme in der Partnerschaft und Familie. Die Liste ließe sich noch lange fortsetzen.

Was wir heute als einen unangenehmen Zustand erleben, war für unsere Steinzeitvorfahren allerdings eine notwendige Überlebensstrategie. Auf äußere Bedrohung, wie z. B. einen aus dem Gebüsch springenden Bären, gab es für den Neandertaler nur zwei Reaktionen: Kampf oder Flucht! Beide Verhaltensweisen setzten eine hohe körperliche Leistungsbereitschaft voraus.

Stress ist sozusagen der Zündfunke für die körperliche Reaktion. Das Gehirn gibt den Befehl, worauf die Nebenniere die Hormone Adrenalin und Noradrenalin ins Blut schickt. Diese erhöhen Herzschlag und Blutdruck, beschleunigen die Atmung und bringen die Muskulatur in erhöhte Spannung. Erst diese Kettenreaktion versetzt den Betroffenen in die Lage zu flüchten oder zu kämpfen, wodurch sich die körpereigenen Abläufe wieder normalisieren.

Stress ist also ursprünglich ein sehr nützlicher Zustand. Doch heute müssen wir nicht mehr vor Bären davonlaufen. Stattdessen setzt Sie vielleicht Ihr Chef durch immer mehr Arbeit unter Zeitdruck. Auch das erzeugt Stress. Wenn dieser nicht mehr nachlässt und chronisch wird, kommt es über kurz oder lang zu gesundheitlichen Problemen. Nicht nur die Psyche, sondern vor allem die Muskulatur streikt irgendwann, wenn sie ständig unter Spannung steht. Rückenschmerzen sind die Folge. Mit folgendem Test können Sie feststellen, ob Ihr Stressmaß voll ist.

Der Stresstest

Beantworten Sie folgende Fragen. Um ein objektives und aktuelles Ergebnis zu erhalten, sollten Sie dabei die letzten sechs Wochen berücksichtigen.

1. Stehen Sie unter Zeitdruck?
❑ ständig ❑ manchmal ❑ nie

2. Schlafen Sie schlecht?
❑ ständig ❑ manchmal ❑ nie

3. Fühlen Sie sich beruflich oder privat überlastet?
❑ ständig ❑ manchmal ❑ nie

Zwei besonders einfache und effektive Wege zur Stressbewältigung lernen Sie ab Seite 123 kennen.

4. Fahren Sie pro Woche mehr als 300 Kilometer mit dem Auto?
❑ ständig ❑ manchmal ❑ nie

5. Arbeiten Sie mehr als 40 Wochenstunden und leiden Sie darunter?
❑ ständig ❑ manchmal ❑ nie

6. Sind Sie starker Lärmbelästigung ausgesetzt?
❑ ständig ❑ manchmal ❑ nie

7. Haben Sie Auseinandersetzungen in der Familie oder mit Kollegen?
❑ ständig ❑ manchmal ❑ nie

8. Haben Sie zu wenig Zeit für sich selbst?
❑ ständig ❑ manchmal ❑ nie

9. Sind Sie mit sich unzufrieden?
❑ ständig ❑ manchmal ❑ nie

10. Stellen Sie Ihre eigenen Bedürfnisse zugunsten anderer zurück?
❑ ständig ❑ manchmal ❑ nie

11. Haben Sie das Bedürfnis, sich mit anderen zu vergleichen?
❑ ständig ❑ manchmal ❑ nie

12. Fühlen Sie sich einsam?
❏ ständig ❏ manchmal ❏ nie

13. Sind Sie übertrieben ehrgeizig?
❏ ständig ❏ manchmal ❏ nie

14. Sind Sie mit Ihrer Partnerschaft unzufrieden?
❏ ständig ❏ manchmal ❏ nie

Rückenschmerzen haben nicht nur körperliche Ursachen. Auch Erfüllung im Job, ein ausgeglichenes Privatleben und genug Zeit für die ganz persönlichen Bedürfnisse können Beschwerden vorbeugen.

15. Haben Sie Wohnungs- oder Geldsorgen?
❏ ständig ❏ manchmal ❏ nie

16. Wie oft sind Sie krank oder fühlen sich unwohl?
❏ ständig ❏ manchmal ❏ nie

17. Leiden Sie unter einer zurückliegenden Scheidung/Trennung?
❏ ständig ❏ manchmal ❏ nie

18. Leiden Sie unter dem Tod des Partners oder eines Angehörigen?
❏ ständig ❏ manchmal ❏ nie

Testauswertung

Zählen Sie zusammen, wie viele Fragen Sie mit »ständig« beantwortet haben, und vergeben Sie für jede einen Punkt.

0 – 3 Punkte: Sie führen ein beneidenswert stressfreies Leben. Ihr Risiko durch zu viel Stress Rückenbeschwerden zu bekommen, ist denkbar gering.

4 – 6 Punkte: Ihr Rückenrisiko ist leicht erhöht. Um Problemen vorzubeugen, sollten Sie sich öfter entspannen (siehe auch Seite 120 ff.).

7 – 11 Punkte: Sie lassen sich zu viel stressen! Wenn Sie nicht schon Rückenprobleme haben, ist das Risiko dafür deutlich erhöht. Noch ist es aber nicht zu spät. Die Entspannungstechniken ab Seite 120 helfen Ihnen dabei, besser mit Stress umzugehen.

12 und mehr Punkte: Das Stressmaß ist voll. Sie riskieren Ihre Gesundheit. Wahrscheinlich haben Sie bereits mehr oder weniger starke Rückenschmerzen. Unter Umständen sollten Sie sich professionelle Hilfe in Sachen Entspannung holen (siehe auch Seite 136 ff.).

Wärme wirkt schmerzlindernd. Wärmflasche, Wärmepflaster oder ein heißer Heublumensack (beides aus der Apotheke) bieten erste Hilfe.

Haben Sie ein *Haltungsproblem?*

Wie war das noch früher? Ein Mann ging in den Wald, fällte einen Baum, bearbeitete ihn und zimmerte daraus einen Tisch. Heute gibt es Menschen, die Bäume fällen, andere verarbeiten das Holz, wieder andere fertigen daraus einen Tisch. Was das mit Ihrem Rücken zu tun hat? Ganz einfach: Ihr Rücken mag es gar nicht, wenn er immer das Gleiche tun muss! Er wehrt sich dagegen, den ganzen Tag nur am Schreibtisch zu sitzen, nur hinter der Kasse zu stehen oder immer gleiche Tätigkeiten (z. B. am Fließband) zu verrichten. Und er wehrt sich dagegen mit Schmerz.

Rückenprobleme findet man aus diesem Grund besonders häufig bei Menschen, die tagtäglich die gleiche monotone Körperhaltung beibehalten. Denn langes Sitzen, langes Stehen oder ständig schwer Heben sind der sichere Weg zu Rückenschmerzen. Was aber tun, wenn Sie damit vielleicht Ihren Lebensunterhalt verdienen? Dann müssen Sie zumindest in der Freizeit für einen Ausgleich sorgen.

Bei akuten Rückenschmerzen hilft es, die Wirbelsäule sofort zu entlasten. Legen Sie sich flach auf den Boden und legen Sie die Waden auf einem Stuhl ab.

Auch hier heißt das Zauberwort Bewegung. Eine gut trainierte, kräftige Muskulatur kann einiges an Fehlbelastungen vertragen. Nur wenn Sie Ihre Muskulatur mit regelmäßigem und intensivem Training auf Vordermann bringen, können Sie sich langes Sitzen, Stehen oder schweres Heben leisten.

Noch ein Wort zum so genannten »richtigen« Sitzen. Eine inzwischen bereits überholte »Lehrmeinung« besagte, man solle immer aufrecht sitzen. Diese Haltung wäre für den Rücken das Beste. Aber haben Sie schon einmal jemanden gesehen, der länger als eine Stunde aufrecht sitzen kann? Wohl kaum! Kein Wunder also, dass diese Meinung nicht mehr gültig ist.

Unter »richtigem« Sitzen versteht man heute vielmehr, möglichst kurz in derselben Haltung zu verweilen. Höchstens 20 Minuten sind erlaubt, spätestens dann ist ein Haltungswechsel angesagt. Wechseln Sie aber nicht nur die Position, sondern auch das Sitzmöbel. Auswahl gibt es genug: Stuhl, großer Gymnastikball oder Hocker, eventuell noch kombiniert mit verschiedenen Sitzkissen oder -keilen.

Der folgende Test verrät Ihnen, wie hoch Ihr Risiko ist, aufgrund monotoner Körperhaltung Rückenprobleme zu bekommen.

Der Haltungstest

Beantworten Sie folgende Fragen.

1. Sie sitzen pro Tag länger als drei Stunden am Stück?
❑ richtig ❑ falsch

2. Sie stehen pro Tag länger als drei Stunden am Stück?
❑ richtig ❑ falsch

Die Wirbelsäulenmuskulatur sichert die aufrechte Haltung des Menschen und ermöglicht uns vielfältigste Bewegungen. Dazu sind im Wesentlichen zwei Muskelgruppen notwendig: Rücken- und Bauchmuskulatur.

3. Sie arbeiten länger als zwei Stunden pro Tag in gebückter Haltung?
❑ richtig ❑ falsch

4. Sie müssen im Beruf schwer heben oder tragen?
❑ richtig ❑ falsch

5. Sie arbeiten länger als zwei Stunden pro Tag über Kopf?
❑ richtig ❑ falsch

6. Sie haben einen Beruf, bei dem Sie in einer anderen als der genannten Zwangshaltung arbeiten müssen (z. B. auf den Knien)?
❑ richtig ❑ falsch

7. Sie machen zwischendurch keine regelmäßigen Bewegungspausen, wenn Sie längere Zeit in gleichförmiger Haltung arbeiten?
❑ richtig ❑ falsch

8. Sie machen keine Kraftübungen für Rumpf-, Nacken- und Schulter?
❑ richtig ❑ falsch

9. Sie treiben keinen regelmäßigen Ausdauersport?
❑ richtig ❑ falsch

10. Sie sind übergewichtig?
❑ richtig ❑ falsch

11. Sie rauchen?
❑ richtig ❑ falsch

Testauswertung

Zählen Sie zusammen, wie viele Fragen Sie mit »richtig« beantwortet haben und vergeben Sie für jede einen Punkt.

0 – 1 Punkt: Sie haben offensichtlich einen vielseitigen Beruf und verschaffen sich auch sonst den nötigen Bewegungsausgleich. Ihr Rückenrisiko ist gering.

2 – 3 Punkte: Ihr Risiko ist leicht erhöht. Wenn Sie beruflich zu einer einseitigen Körperhaltung gezwungen sind, sollten Sie regelmäßig aktive Bewegungspausen einlegen und ein gezieltes Kräftigungs- und Ausdauertraining absolvieren. Lesen Sie dazu ab Seite 89 (Kraft) und Seite 112 (Ausdauer).

4 und mehr Punkte: Ihr Rückenriskio ist deutlich erhöht. Wenn jetzt noch andere Risikofaktoren (Stress oder schwache Muskulatur) dazukommen, sind Rückenbeschwerden die Folge. Versuchen Sie die Probleme in allen Bereichen in den Griff zu bekommen. Ein Kräftigungs-, Ausdauer- und Entspannungstraining sollte zur selbstverständlichen Gewohnheit werden.

Die Hauptaufgabe der Rückenmuskulatur besteht darin, zu verhindern, dass der Oberkörper nach vorn fällt. Außerdem streckt sie die Wirbelsäule.

Gut zu wissen

Die Bandscheiben

Die Zwischenwirbelscheiben oder Bandscheiben liegen jeweils zwischen zwei Wirbelkörpern und wirken dort als natürlicher »Stoßdämpfer«. Ihr Kern besteht zum größten Teil aus Wasser und ist für die Druckverteilung in der Bandscheibe verantwortlich. Der Bandscheibenring verhindert extreme Bewegungen der Wirbel gegeneinander.

Da die Bandscheiben keine Blutgefäße besitzen, müssen sie sich durch wechselnden Druck und Sog ernähren. Halten Sie einen Schwamm in einen Eimer Wasser, saugt er sich voll. Wenn Sie ihn drücken, gibt er das Wasser wieder ab. Auf diese Art verhalten sich auch die Bandscheiben: Unter Belastung geben sie Flüssigkeit ab, bei Entlastung nehmen sie neue Flüssigkeit und damit alle zur Ernährung notwendigen Substanzen auf.

Die Bandscheiben »leben« also vom Wechsel zwischen Be- und Entlastung. Bewegung ist für sie daher »lebensnotwendig«. Eine monotone Körperhaltung dagegen bedeutet für die Bandscheiben ständige Belastung und das wiederum führt zu einer schnelleren Abnutzung.

Wer seinen Rücken stärken will, muss mit gezielten Kraftübungen verschiedene Muskelgruppen trainieren. Damit es nicht langweilig wird, lassen sich alle der folgenden Übungen sehr gut miteinander kombinieren.

Starker Rücken

Die besten Übungen

Mit diesem ausgewogenen Trainingsprogramm stärken Sie die gesamte Rückenmuskulatur. Fangen Sie am besten gleich an!

Krafttraining – so geht's

1. Trainieren Sie mindestens zwei-, aber maximal viermal pro Woche.
2. Absolvieren Sie mindestens zehn Trainingseinheiten im Kraftausdauerbereich, ehe Sie mit dem Maximalkrafttraining beginnen.
3. Wählen Sie pro Trainingseinheit je eine Übung aus jedem Übungsbereich aus (Rücken-, Bauch- und Schultermuskulatur).
4. Beginnen Sie mit leichten und enden Sie mit schweren Übungen.
5. Wählen Sie den Schwierigkeitsgrad der Übung so, dass pro Durchgang die letzten drei bis fünf Wiederholungen anstrengend sind.
6. Wenn Sie bei einer Übung 30 Wiederholungen erreicht haben, können Sie zur nächst schwereren Übung gehen.
7. Übungen, die Schmerzen verschlimmern, brechen Sie ab.
8. Achten Sie darauf, dass die Muskelgruppe, die Sie gerade trainieren, immer unter Spannung bleibt. Setzen Sie nicht ab!
9. Absolvieren Sie alle Übungen langsam. Zählen Sie 21, 22 ...
10. Holen Sie nie Schwung, sondern führen Sie alle Bewegungen nur durch Muskelkraft aus.
11. Halten Sie nicht den Atem an. Vermeiden Sie Pressatmung.

Unter Kraftausdauer versteht man die Widerstandsfähigkeit gegen Ermüdung bei lang andauernden Kraftleistungen. Durch ein Kraftausdauertraining steigt die Ausdauer der Muskulatur. Die Muskeln werden im Alltag weniger schnell überlastet.

	Ausdauertraining	Maximalkrafttraining
Wiederholungen	15 – 30	8 – 15
Durchgänge	3 – 5	3 – 5
Pausen	30 sec.	1 – 2 min.
Häufigkeit	3 – 4	2 – 3
Übungszahl	5 – 7	4 – 5

Die Maximalkraft ist die höchste Kraft, die innerhalb eines Bewegungsablaufes möglich ist. Sie brauchen sie z. B. um schwere Gegenstände (Getränkekisten, Möbel etc.) zu heben.

Die Rückenmuskulatur

Für Anfänger
Schwierigkeitsgrad: leicht
Durchgänge: 3 à 15–30 Wiederholungen
Pause: 30 Sekunden

Übung 1

Diese Übung trainiert neben der langen vor allem auch die tiefe Rückenmuskulatur, die wichtig ist für die gegenseitige Stabilität der einzelnen Wirbel. Die Muskelgruppe wird besonders effektiv auf einem Gymnastikball trainiert.

Ausgangsposition: Legen Sie sich mit dem Bauch nach unten über einen Gymnastikball. Stützen Sie sich mit einer Hand und dem gegenüberliegenden Fuß auf dem Boden ab. Den freien Arm und das freie Bein winkeln Sie an. Sie blicken auf den Boden und nicht geradeaus.

Übung 1

Endposition: Strecken Sie den gebeugten Arm und das angewinkelte Bein langsam bis in die Horizontale. Anschließend winkeln Sie Arm und Bein wieder an. Wiederholen Sie die Bewegung entsprechend der oben genannten Durchgänge. Trainieren Sie anschließend die andere Seite.

Variante: Wenn Sie bei dieser Übung mehr als 30 Wiederholungen schaffen sollten, erschweren Sie das Training, indem Sie ein Gewicht (z. B. eine 1-Kilo-Hantel, eine gefüllte Wasserflasche oder ein dickes Buch) in der Hand des so genannten arbeitenden (zu beugenden) Armes halten.

Übung 2 (Übung auf CD, Track 2)

Diese Übung trainiert neben der gesamten Rücken- und Schultergürtelmuskulatur gleichzeitig auch die Gesäßmuskulatur. Sie eignet sich daher ideal für ein Kombinationsprogramm mit einer gezielten Problemzonengymnastik. Vorsicht: Wenn Sie unter akuten Schulterbeschwerden leiden, weichen Sie auf Übung 1 oder 5 aus, um die Schmerzen nicht noch zu verstärken.

Für Anfänger
Schwierigkeitsgrad: leicht
Durchgänge: 3 à 15–30 Wiederholungen
Pause: 30 Sekunden

Ausgangsposition: Legen Sie sich flach auf den Bauch und strecken Sie die Arme gerade nach vorn aus. Rücken und Hals bilden eine Linie. Blicken Sie auf den Boden, nicht geradeaus. Heben Sie nun langsam den rechten Arm und das linke Bein 10 bis 15 Zentimeter vom Boden ab. Es kommt nicht darauf an, Arm und Bein möglichst weit anzuheben.

Übung 2

Endposition: Legen Sie den Arm und das Bein ebenso langsam wieder ab und heben Sie dann den linken Arm und das rechte Bein 10 bis 15 Zentimeter vom Boden.

Trainieren Sie abwechselnd die genannten Durchgänge. Führen Sie dabei die Bewegungen ganz langsam und ohne Schwung aus.

Variante: Wenn Sie die Übung erschweren wollen, nehmen Sie ein Gewicht in die freie Hand. Wichtig, trotz zusätzlicher Belastung: Sie müssen auch mit Gewichten den Bewegungsablauf mindestens 15-mal, höchstens jedoch 30-mal wiederholen.

Für Anfänger (A) und Fortgeschrittene (F)
Schwierigkeitsgrad: mittel
Durchgänge: 3 à 10–15 (A) bzw. 3–5 à 15–30 Wiederholungen (F)
Pause: 1–2 Minuten (A), 30 Sekunden (F)

Übung 3

Ebenso wie die vorangegangene Übung trainiert diese Variante neben der unteren Rückenmuskulatur auch die Gesäß- und Schultergürtelmuskulatur. Auch hier gilt: Weichen Sie auf Übung 1 oder 5 aus, wenn Sie gerade unter akuten Schulterbeschwerden leiden. Denn diese können sich durch das Training noch verschlimmern.

Ausgangsposition: Legen Sie sich auf den Bauch und strecken Sie die Arme gerade nach vorn aus. Heben Sie beide Arme und beide Beine ganz langsam etwa zehn Zentimeter vom Boden ab. Es kommt dabei nicht darauf an, Arme und Beine möglichst weit abzuheben. Sie dürfen lediglich den Boden nicht mehr berühren. Rücken und Hals bilden eine gerade Linie. Halten Sie den Kopf nach unten, schauen Sie nicht nach vorn.

Übung 3

Endposition: Grätschen Sie nun ganz langsam Arme und Beine. Halten Sie die Position etwa zwei Sekunden und führen Sie Arme und Beine langsam wieder zusammen. Halten Sie dabei die ganze Zeit die Spannung und setzen Sie Arme und Beine nicht auf dem Boden ab. Vorsicht: Überstrecken Sie die Wirbelsäule nicht.

Variante: Sie können diese Übung intensivieren, indem Sie mit beiden Händen je ein Gewicht von etwa einem Kilo halten. Das Gewicht darf nur so schwer sein, dass Sie die oben geforderte Wiederholungszahl trotz der höheren Belastung noch durchhalten.

Übung 4

Diese Gleichgewichtsübung trainiert neben der langen, auch die mittellange und kurze Rückenmuskulatur. Diese Muskelgruppen erstrecken sich über zwei bis sechs Wirbel (mittellange) bzw. von Wirbel zu Wirbel (kurze). Sie liegen tief an der Wirbelsäule. Ihre Funktion ist es, für eine ausreichende Stabilität der einzelnen Wirbel gegeneinander zu sorgen.

Für Anfänger (A) und Fortgeschrittene (F)
Schwierigkeitsgrad: mittel
Durchgänge: 3–5 à 10–15 (A) bzw. 15–30 (F) Wiederholungen
Pause: 1–2 Minuten (A), 30 Sekunden (F)

Ausgangsposition: Legen Sie sich mit dem Bauch voran über einen Gymnastikball. Ferse, Becken und Schulter bilden eine Linie. Winkeln Sie einen Arm auf Schulterhöhe an, während Sie den anderen gerade nach vorn ausstrecken. Der Kopf schaut nach unten, nicht geradeaus. Heben Sie nun langsam ein Bein vom Boden, ohne das Gleichgewicht zu verlieren.

Endposition: Halten Sie die Position und balancieren Sie eine Zeit lang auf dem Ball. Beugen und strecken Sie dabei wechselseitig die Arme. Gehen Sie zurück in die Ausgangsposition, machen Sie eine Pause.

Für den nächsten Durchgang wechseln Sie auf das andere Bein. Achten Sie stets darauf, dass der Oberkörper nicht absinkt. Wiederholen Sie die Übung im steten Wechsel so oft wie oben angegeben.

Variante: Wenn Sie Probleme mit dem Gleichgewicht haben, trainieren Sie am Anfang ohne dabei die Arme zu bewegen (einfach die Position halten).

Übung 4

Übung 5 (Übung auf CD, Track 4)

Für Fortgeschrittene
Schwierigkeitsgrad: schwer
Durchgänge: 3–5 à 15–30 Wiederholungen
Pause: 30 Sekunden

Diese Übung trainiert in erster Linie die untere Rückenmuskulatur. Gleichzeitig wird aber automatisch auch die Muskulatur der Oberschenkelrückseite sowie die gesamte Gesäßmuskulatur mittrainiert. Sie können daher mit dieser Übung eine gezielte Problemzonengymnastik ideal unterstützen. Vorsicht aber, wenn Sie unter akuten Knieproblemen leiden: Um die Gelenke nicht noch mehr zu belasten, sollten Sie in diesem Fall auf die anderen Übungen dieses Trainingsbereiches (1 – 4 bzw. 6) ausweichen.

Ausgangsposition: Sie liegen auf dem Rücken, die Beine sind ausgestreckt. Legen Sie die Fersen auf einen Stuhl und heben Sie das Becken fünf bis zehn Zentimeter an. Arme vor der Brust verschränken.

Übung 5

Endposition: Heben Sie das Becken so weit an, dass Fersen, Becken und Schulter eine Linie bilden. Überstrecken Sie dabei die Lendenwirbelsäule nicht, indem Sie ein Hohlkreuz bilden. Senken Sie dann das Becken langsam wieder ab, ohne dabei den Boden zu berühren.

Variante: Noch anspruchsvoller wird diese Übung, wenn Sie die Fersen statt auf einem Stuhl auf einem Gymnastikball abstützen. Dann werden nämlich auch die tiefen Rückenmuskeln (mittellange und kurze Rückenmuskulatur) mittrainiert. Um die Belastung zu erhöhen, legen Sie ein Gewicht (etwa ein Kilo) auf den Bauch.

Übung 6

Diese Übung trainiert in erster Linie die untere Rückenmuskulatur. Gleichzeitig wird aber auch die Gesäß- und die Schultergürtelmuskulatur gestärkt. Und der elastische Gymnastikball sorgt dafür, dass auch die tiefe Rückenmuskulatur von der Übung profitiert.

Für Fortgeschrittene
Schwierigkeitsgrad: schwer
Durchgänge: 3–5 à 10–15 Wiederholungen
Pause: 1–2 Minuten

Ausgangsposition: Legen Sie sich mit dem Bauch nach unten über einen Gymnastikball. Das Gewicht sollte dabei zum größten Teil auf Becken und Oberschenkel verlagert werden, die auf dem Gymnastikball liegen. Stützen Sie sich jetzt mit den Fußsohlen an einer Wand ab, winkeln Sie die Arme an und nehmen Sie die Hände seitlich an den Kopf. Rücken und Hals bilden eine gerade Linie. Schauen Sie nicht nach vorn, sondern nach unten.

Übung 6

Endposition: Heben Sie den Oberkörper langsam über die Horizontale hinaus an, ohne ihn dabei jedoch zu überstrecken und ins Hohlkreuz zu gehen. Ferse, Hüfte und Schulter müssen eine Linie bilden. Die Spannung kurz halten und den Oberkörper langsam wieder absenken. Achten Sie dabei darauf, dass die Rückenmuskulatur stets unter Spannung bleibt.

Variante: Wenn Sie am Anfang Schwierigkeiten haben, halten Sie die Arme neben dem Oberkörper. Wenn Sie die Übung dagegen lieber etwas erschweren möchten, fassen Sie ein Gewicht mit beiden Händen und legen diese in den Nacken.

Der gerade Bauchmuskel

Für Anfänger (A) und Fortgeschrittene (F)
Schwierigkeitsgrad: leicht
Durchgänge: 3 à 10–15 (A) bzw. 3–5 à 15–30 Wiederholungen (F)
Pause: 1–2 Minuten (A), 30 Sekunden (F)

Übung 1

Viele Bauchmuskelübungen sind für Anfänger sehr schwer, denn schließlich muss dabei mit dem eigenen Körpergewicht gegen die Schwerkraft gearbeitet werden. Anders bei dieser Trainingseinheit! Sie ist gerade für Einsteiger besonders gut geeignet.

Ausgangsposition: Legen Sie sich mit dem Rücken nach unten schräg auf einen Gymnastikball. Lenden- und Brustwirbelsäule liegen auf dem Ball. Winkeln Sie die Beine an und stellen Sie die Füße etwa hüftbreit auseinander fest auf den Boden. Winkeln Sie die Arme an und verschränken Sie die Hände hinter dem Kopf.

Endposition: Spannen Sie die Bauchmuskeln an und rollen Sie den Oberkörper langsam nach vorn, ohne ihn jedoch ganz senkrecht aufzurichten. Rücken und Hals bilden eine Linie, der Kopf wird nicht nach vorn gesenkt. Position kurz halten und den Oberkörper wieder nach hinten führen. Dabei die Bauchmuskulatur immer unter Spannung halten.

Variante: Die Übung wird umso leichter, je näher Sie an der Senkrechten trainieren und umso schwerer, je mehr Sie die Ausgangsposition in die Waagerechte verlagern (je mehr Sie sich also auf den Ball legen).

Übung 1

Übung 2 (Übung auf CD, Track 3)

Diese Übung ist der Klassiker unter den Bauchmuskelübungen. Wenn Sie die Einheit zwei- bis viermal pro Woche jeweils in der rechts angegebenen Wiederholungszahl absolvieren, sind Rückenschmerzen bald kein Thema mehr. Ganz wichtig: Damit wirklich nur die Muskeln arbeiten, müssen Sie den Oberkörper ohne Schwung heben. Die Kraft darf allein aus dem Bauch kommen.

Für Anfänger (A) und Fortgeschrittene (F)
Schwierigkeitsgrad: mittel
Durchgänge: 3 à 10–15 (A) bzw. 3–5 à 15–30 (F) Wiederholungen
Pause: 1–2 Minuten (A), 30 Sekunden (F)

Ausgangsposition: Legen Sie sich auf den Rücken, winkeln Sie die Beine an und stellen Sie die Füße hüftbreit auf den Boden. Ziehen Sie die Fußspitzen an. Die Arme liegen parallel zum Oberkörper, der Kopf bildet eine Linie mit der Wirbelsäule. Machen Sie ein Doppelkinn.

Übung 2

Endposition: Spannen Sie den Bauch an und rollen Sie den Oberkörper langsam nach vorn ein. Die Lendenwirbelsäule bleibt dabei immer fest auf dem Boden liegen. Die Position kurz halten und den Oberkörper ebenso langsam wieder absenken. Die Schultern dürfen den Boden dabei jedoch nicht berühren, die Bauchmuskulatur bleibt immer unter Spannung. Kurz halten und den Körper wieder heben.

Variante: Wer Probleme mit der Halswirbelsäule hat, macht kein Doppelkinn, sondern winkelt die Arme seitlich an und verschränkt die Hände im Nacken, um diesen zu stützen. Ziehen bzw. drücken Sie den Kopf nicht nach vorn, sondern stützen Sie ihn nur ab.

Übung 3

Für Fortgeschrittene
Schwierigkeitsgrad: schwer
Durchgänge: 3–5 à 10–15 Wiederholungen
Pause: 1–2 Minuten

Diese Übung ist eine Variante der vorherigen, wird aber durch den Einsatz der Beine deutlich schwerer. Der Grund: Die Bauchmuskulatur muss nun zusätzlich die Hebelbelastung der Beine ausgleichen. Für Anfänger ist diese Übung daher weniger gut geeignet. Denn wer noch wenig Kraft hat, bildet leicht ein Hohlkreuz und erzeugt dadurch eine ungünstige Hebelbelastung in der Lendenwirbelsäule. Einsteiger trainieren daher zuerst einmal die Übungen 1 und 2, ehe sie mit dieser Übung beginnen.

Ausgangsposition: Legen Sie sich flach auf den Rücken und strecken Sie die Beine in die Luft. Die Unterschenkel überkreuzen. Die Arme seitlich anwinkeln und die Hände hinter dem Kopf verschränken. Machen Sie ein Doppelkinn.

Übung 3

Endposition: Spannen Sie die Bauchmuskulatur an und rollen Sie den Oberkörper ohne Schwung nach vorn ein. Die Lendenwirbelsäule bleibt dabei immer fest auf dem Boden liegen. Ebenfalls ganz wichtig: Die Hände dürfen den Kopf nur abstützen, aber nicht nach vorn ziehen bzw. drücken. Den Körper langsam wieder absenken, ohne den Boden mit den Schultern zu berühren.

Variante: Ist Ihnen die Übung zu schwer, halten Sie die Arme parallel zum Oberkörper und bewegen sie beim Aufrichten mit dem Körper nach vorn. Schwieriger wird's, wenn Sie die Arme nach hinten ausstrecken.

Übung 4

Diese Übung ist eine der schwersten, aber gleichzeitig eine der wichtigsten Bauchmuskelübungen. Denn sie trainiert den unteren Teil der geraden Bauchmuskulatur, der bei sehr vielen Menschen besonders schwach ist. Absolvieren Sie diese Übung nur, wenn Sie die vorangegangenen sicher beherrschen. Ansonsten wird die Bewegungsausführung unsauber.

Für Fortgeschrittene
Schwierigkeitsgrad: schwer
Durchgänge: 3–5 à 10–15 Wiederholungen
Pause: 1–2 Minuten

Ausgangsposition: Legen Sie sich auf den Rücken, strecken Sie die Beine in die Luft und kreuzen Sie die Unterschenkel. Beide Arme liegen parallel zum Oberkörper auf dem Boden. Doppelkinn machen.

Endposition: Spannen Sie die Bauchmuskeln an und rollen Sie das Becken langsam nach oben ein. Ziehen Sie dabei die Beine nicht an, sondern bringen Sie die Knie Richtung Decke. Die Arme bleiben die ganze Zeit fest am Boden. Becken langsam wieder senken, aber nicht ganz ablegen. Die Spannung in der Bauchmuskulatur stetig halten.

Übung 4

Expertentipp

Richtig atmen

Beim Bauchtraining kommt es auch auf die richtige Atmung an. Wenn Sie den Oberkörper vom Boden heben, atmen Sie durch den Mund aus, wenn Sie ihn senken, atmen Sie durch die Nase wieder ein.

Die schräge *Bauchmuskulatur*

Für Anfänger
Schwierigkeitsgrad: leicht
Durchgänge: 3–5 à
15–30 Wiederholungen
Pause: 30 Sekunden

Übung 1

Neben der schrägen Bauchmuskulatur trainiert diese Übung auch die Koordination der einzelnen Gliedmaßen, also das Zusammenspiel der einzelnen Muskelgruppen von Armen und Beinen. Dadurch verbessert sich auch Ihr Gleichgewichtssinn.

Ausgangsposition: Legen Sie sich flach auf den Rücken. Die Beine sind abgewinkelt, die Füße stehen hüftbreit auseinander am Boden. Heben Sie nun die Beine an. Spannen Sie den Bauch an und heben Sie auch den Oberkörper etwas an. Die Lendenwirbelsäule bleibt fest am Boden, die Schulterblätter dagegen berühren den Boden nicht.

Strecken Sie den linken Arm nach oben hinter den Kopf, den rechten nach vorn. Ziehen Sie das linke Bein an, sodass sich rechte Hand und linker Fuß fast berühren. Das rechte Bein bleibt nach vorn gestreckt.

Endposition: Ziehen Sie nun die linke Hand nach vorn und das rechte Bein heran, der rechte Arm geht währenddessen nach hinten. Während der gesamten Bewegung bleibt der Oberkörper stabil. Halten Sie den Kopf ruhig und achten Sie darauf, dass die Schulterblätter nicht auf den Boden absinken, die Lendenwirbelsäule jedoch stets am Boden bleibt.

Übung 1

Übung 2 (Übung auf CD, Track 5)

Möglicherweise stellen Sie bei dieser Übung fest, dass Sie nicht auf beiden Seiten die gleiche Anzahl an Wiederholungen schaffen. Die seitliche Bauchmuskulatur ist dann unterschiedlich stark. Trainieren Sie in diesem Fall so lange nur die schwächere Seite, bis Sie jeweils die gleiche Wiederholungszahl schaffen.

Für Anfänger (A) und Fortgeschrittene (F)
Schwierigkeitsgrad: mittel
Durchgänge: 3–5 à 10–15 (A) bzw. 15–30 (F) Wiederholungen
Pause: 1–2 Minuten (A), 30 Sekunden (F)

Ausgangsposition: Legen Sie sich auf den Rücken, winkeln Sie die Beine an und stellen Sie die Füße hüftbreit auseinander fest auf den Boden. Legen Sie den rechten Fuß auf den linken Oberschenkel. Strecken Sie beide Arme nach vorn aus, am linken Oberschenkel vorbei. Der Kopf bleibt in Verlängerung der Wirbelsäule. Machen Sie ein Doppelkinn.

Übung 2

Endposition: Spannen Sie die Bauchmuskeln an und rollen Sie den Oberkörper langsam schräg nach vorn links ein. Die rechte Schulter bewegt sich dabei in Richtung des linken Knies, die Arme gehen am linken Oberschenkel vorbei nach vorn. Die Position kurze Zeit halten und den Oberkörper langsam wieder nach hinten absenken, aber nicht ganz am Boden absetzen. Die oben genannten Durchgänge trainieren und dann die Seite wechseln.

Variante: Die Übung wird schwerer, wenn Sie die Arme über dem Kopf gerade nach hinten ausstrecken oder sie anwinkeln und die Hände hinter dem Kopf verschränken.

Übung 3

Für Fortgeschrittene
Schwierigkeitsgrad: schwer
Durchgänge: 3–5 à 10–15 Wiederholungen
Pause: 1–2 Minuten

Diese Übung ist für Profis. Achten Sie besonders auf eine saubere Bewegungsausführung. Wenn Sie feststellen, dass Sie nicht auf beiden Seiten die gleiche Wiederholungszahl schaffen, trainieren Sie zunächst nur die schwächere Seite. Sie gleichen so Ihr muskuläres Ungleichgewicht aus. Wenn beide Seiten gleich stark belastbar sind, trainieren Sie sie abwechselnd weiter.

Ausgangsposition: Legen Sie sich auf den Rücken und strecken Sie die Beine nach oben in die Luft. Sie können dabei auch die Unterschenkel überkreuzen. Die Arme abwinkeln und die Hände hinter dem Kopf verschränken. Heben Sie die Schultern einige Zentimeter vom Boden ab.

Übung 3

Endposition: Spannen Sie die Bauchmuskulatur an und rollen Sie den Oberkörper langsam schräg nach vorn links ein, sodass sich die rechte Schulter in Richtung des linken Knies bewegt. Wichtig: Die Hände stützen den Kopf nur ab, ziehen oder schieben ihn jedoch nicht nach vorn.

Die Position kurz halten und den Oberkörper dann langsam wieder absenken, ohne die Schultern ganz auf dem Boden abzulegen. Die angegebene Wiederholungszahl absolvieren und dann die andere Seite trainieren.

Variante: Um den Schwierigkeitsgrad zu erhöhen, strecken Sie die Arme über dem Kopf gerade nach hinten aus.

Die seitliche *Rumpfmuskulatur*

Übung 1 (Übung auf CD, Track 6)

Möglicherweise stellen Sie auch bei dieser Übung fest, dass Sie nicht auf beiden Seiten die gleiche Zahl an Wiederholungen schaffen. Eine Seite ist dann schwächer als die andere. In diesem Fall trainieren Sie zunächst ausschließlich die schwächere Seite. Erst wenn Sie auf beiden Seiten gleich viele Durchgänge turnen können, wird beidseitig weitertrainiert. Ein Plus dieser Übung: Neben der seitlichen Rumpfmuskeln werden auch Schulter- und äußere Hüftmuskulatur gestärkt.

Für Anfänger
Schwierigkeitsgrad: leicht
Durchgänge: 3–5 à
15–30 Wiederholungen
Pause: 30 Sekunden

Übung 1

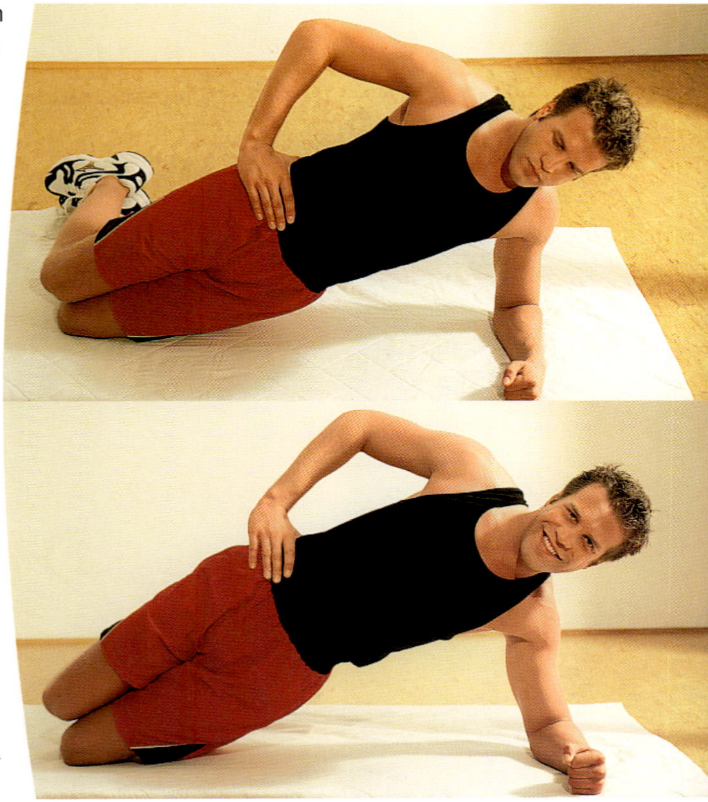

Ausgangsposition: Gehen Sie in die Seitlage und stützen Sie sich auf den Ellbogen. Den anderen Arm auf die Hüfte stützen oder eventuell vor dem Körper abstützen. Beide Knie sind im rechten Winkel gebeugt. Heben Sie das Becken etwas vom Boden ab. Knie, Hüfte und Schulter befinden sich in einer Linie.

Endposition: Heben Sie das Becken langsam und ohne Schwung nach oben an. Es muss nicht hoch sein, schon ein kleines Bewegungsausmaß genügt. Position kurz halten und das Becken wieder senken, jedoch nicht ganz am Boden aufsetzen. Halten Sie stattdessen die Spannung und heben Sie es erneut an. Nach den angegebenen Wiederholungen die Seiten wechseln.

Für Anfänger (A) und Fortgeschrittene (F)
Schwierigkeitsgrad: mittel
Durchgänge: 3–5 à 10–15 (A) bzw. 15–30 (F) Wiederholungen
Pause: 1–2 Minuten (A), 30 Sekunden (F)

Übung 2

Wenn Sie feststellen, dass Sie bei dieser Übung nicht auf beiden Seiten die gleiche Wiederholungszahl schaffen, trainieren Sie zunächst nur die schwächere Seite. Sie gleichen so Ihr muskuläres Ungleichgewicht aus. Neben der seitlichen Rumpfmuskulatur wird bei dieser Trainingseinheit auch die Schulter- und äußere Hüftmuskulatur trainiert.

Ausgangsposition: Gehen Sie in die Seitlage und stützen Sie sich auf den Ellbogen. Den anderen Arm auf die Hüfte stützen oder eventuell vor dem Oberkörper abstützen, um das Gleichgewicht zu halten. Die Beine sind gerade ausgestreckt. Gehen Sie in eine Schrittstellung. Heben Sie das Becken vom Boden ab. Fuß, Hüfte und Schulter bilden eine Linie.

Übung 2

Endposition: Heben Sie nun das Becken langsam weiter nach oben an. Ein kleines Bewegungsausmaß ist ausreichend. Die Position zwei Sekunden halten und das Becken ebenso langsam wieder senken, jedoch nicht ganz auf dem Boden absetzen. Halten Sie während der gesamten Durchgänge die Spannung und trainieren Sie jeweils beide Seiten so oft wie oben angegeben.

Variante: Sie können den Schwierigkeitsgrad erhöhen, indem Sie mit der freien Hand ein Gewicht auf der Hüfte halten. Dieses darf jedoch nicht so schwer sein, dass Sie das Becken nach oben reißen müssen.

Die Brustwirbelsäule

Übung 1

Diese Übung trainiert neben der Rückenstreckmuskulatur auch die gesamte Muskulatur des Schultergürtels und kann so äußerst effektiv helfen, einem verspannten Nacken entgegenzuwirken.

Vorsicht jedoch bei akuten Schulterbeschwerden. Wenn Sie zur Zeit unter Schulterschmerzen leiden, sollten Sie diese Übung nicht absolvieren, um die Beschwerden nicht noch zusätzlich zu verstärken. Weichen Sie stattdessen auf Übung 3 aus, um die Brustwirbelsäule zu stärken.

Für Anfänger
Schwierigkeitsgrad: leicht
Durchgänge: 3–5 à
15–30 Wiederholungen
Pause: 30 Sekunden

Übung 1

Ausgangsposition: Gehen Sie in die so genannte Bankstellung und knien Sie sich mit allen Vieren auf den Boden. Strecken Sie nun die Arme weit nach vorn aus. Wirbelsäule und Hals bilden eine Linie, der Kopf schaut zum Boden, nicht nach vorn. Hüfte, Schulter und Arme bilden annähernd eine gerade Linie.

Endposition: Heben Sie nun abwechselnd ganz langsam den rechten und den linken Arm 10 bis 15 Zentimeter nach oben an. Dabei drehen Sie jeweils auch die Handfläche nach oben. Der Oberkörper bleibt die ganze Zeit stabil, er bewegt sich also nicht mit oder weicht aus. Auch Hals und Kopf bleiben gerade und verändern ihre Position nicht.

Übung 2 (Übung auf CD, Track 7)

Für Anfänger (A) und Fortgeschrittene (F)
Schwierigkeitsgrad: mittel
Durchgänge: 3–5 à 10–15 (A) bzw. 15–30 (F) Wiederholungen
Pause: 1–2 Minuten (A), 30 Sekunden (F)

Neben der Rückenstreckmuskulatur wird bei dieser Trainingseinheit wieder der gesamte Schultergürtel trainiert. Ganz wichtig, wenn Sie akute Schulterbeschwerden haben: Strecken Sie die Arme auf keinen Fall ganz nach vorn aus, sondern lassen Sie sie stets leicht gebeugt. Sollten Sie trotz dieser Vorsichtsmaßnahme dennoch Schmerzen haben, lassen Sie die Übung ausfallen und weichen stattdessen auf Übung 3 aus.

Ausgangsposition: Legen Sie sich flach auf den Bauch. Spannen Sie die Bauchmuskulatur an und heben Sie dann den Oberkörper leicht an. Die Arme sind in Schulterhöhe seitlich angewinkelt. Die Hände zeigen nach vorn, die Handflächen nach innen. Rücken und Hals bilden eine Linie, der Kopf schaut nach unten. Machen Sie ein Doppelkinn. Drehen Sie die Füße etwas nach außen.

Übung 2

Endposition: Halten Sie die Spannung und strecken Sie beide Arme gleichzeitig langsam nach vorn aus. Die Position kurz halten und die Arme wieder in die Ausgangsposition zurückführen. Der Oberkörper muss während der gesamten Übung unter Spannung bleiben und darf nicht auf den Boden absinken. Den Kopf nicht heben, sondern stets nach unten blicken.

Variante: Die Übung wird schwerer, wenn Sie die Beine etwas anheben oder ein Gewicht in den Händen halten.

Übung 3

Diese Übung ist auch für Menschen mit akuten Schulterschmerzen geeignet. Neben Rücken- und Schultermuskulatur wird auch Ihr Gleichgewichtssinn trainiert.

Für Fortgeschrittene
Schwierigkeitsgrad: schwer
Durchgänge: 3–5 à 10–15 Wiederholungen
Pause: 1–2 Minuten

Ausgangsposition: Legen Sie sich mit dem Bauch voran über einen Gymnastikball. Das Gewicht sollte auf Becken, Bauch und Brustkorb liegen. Verschränken Sie die Arme vor der Brust. Den Kopf halten Sie in Verlängerung der Wirbelsäule. Sie blicken nach unten, nicht geradeaus. Machen Sie ein Doppelkinn.

Endposition: Heben Sie den Brustkorb nun langsam nach oben an. Becken und Bauch bleiben dabei auf dem Ball liegen. Gehen Sie so weit hoch, dass Hüfte und Schulter noch eine Linie bilden. Überstrecken Sie den Kopf nicht, sondern sehen Sie die ganze Zeit nach unten. Senken Sie dann den Oberkörper langsam wieder ab, jedoch nur so weit, dass Sie die Spannung in der Muskulatur die ganze Zeit beibehalten.

Übung 3

Variante: Die Übung wird leichter, wenn Sie die Arme nach hinten (über dem Po) und schwerer, wenn Sie sie nach vorn über den Kopf ausstrecken.

Expertentipp

Hilfe bei Gleichgewichtsproblemen

Je enger Sie die Füße aneinander stellen, desto schwieriger wird es, das Gleichgewicht auf dem wackeligen Gymnastikball zu halten. Je weiter die Füße außeinander stehen, desto leichter ist es.

Die *Halswirbelsäule*

Alle vier Übungen für Anfänger (A) und Fortgeschrittene (F)
Schwierigkeitsgrad: leicht
Durchänge: 8–10 à 10–20 (A) bzw. 10–15 à 20–40 Sekunden
Pause: 15–20 (A) bzw. 10–15 (F) Sekunden

Im Gegensatz zu den anderen Übungsgruppen in diesem Buch werden die Übungen für die Halswirbelsäule statisch ausgeführt. Das bedeutet, dass keine dynamischen Bewegungen ausgeführt, sondern die Muskeln während der gesamten Trainingseinheit gezielt angespannt und wieder gelockert werden. Die Spannung wird dadurch erzielt, indem Sie aus unterschiedlichen Richtungen so lange starken Druck auf die Halswirbelsäule ausüben, bis jeweils die links angegebene Belastungszeit erreicht ist. Bei allen vier folgenden Übungsvarianten gilt als Faustregel: Je besser Sie trainiert sind, je kräftiger Ihre Muskulatur also bereits ist, desto mehr Druck können Sie ausüben.

Übung 1

Übung 1

Diese Übung trainiert die seitliche Halsmuskulatur.

Ausgangsposition: Setzen Sie sich mit aufrechtem Rücken auf einen Stuhl oder Gymnastikball. Das Becken ist leicht nach hinten gekippt, der Brustkorb wird nach vorn geschoben, die Schultern nach hinten gezogen. Der Kopf blickt geradeaus. Winkeln Sie den rechten Arm in Schulterhöhe an und legen Sie die Hand seitlich an den Kopf. Stützen Sie die andere Hand locker auf dem Oberschenkel ab.

Endposition: Versuchen Sie nun, den Kopf mit der Hand zur Seite wegzudrücken. Halten Sie dabei jedoch den Kopf dagegen, sodass er sich trotz des Händedrucks nicht bewegt. Die Spannung bis zur angegebenen Zeit halten, Pause machen und die Übung so oft wie nötig wiederholen. Seitenwechsel.

Übung 2

Diese Übung trainiert die vordere Halsmuskulatur.

Übung 2

Ausgangsposition: Setzen Sie sich mit aufrechtem Rücken auf einen Stuhl oder Gymnastikball. Das Becken ist leicht nach hinten gekippt, der Brustkorb wird nach vorn geschoben, die Schultern nach hinten gezogen. Der Kopf ist gerade und blickt geradeaus. Winkeln Sie beide Arme in Schulterhöhe an und legen Sie die Hände von vorn an die Stirn. Spannen Sie die Muskeln an, indem Sie ein Doppelkinn machen.

Endposition: Versuchen Sie nun, den Kopf mit beiden Händen nach hinten wegzudrücken. Der Kopf hält dabei jedoch die ganze Zeit mit aller Kraft dagegen, sodass sich nichts bewegt.

Halten Sie die Spannung über die angegebene Zeit (siehe Seite 108) und machen Sie während der ganzen Übung ununterbrochen ein Doppelkinn. Nach der entsprechenden Zeit wieder locker lassen, Pause machen und die Übung so oft wie nötig wiederholen. Es findet kein Seitenwechsel statt.

Expertentipp

Statik der Wirbelsäule

Obwohl Schmerzen im Bereich der Brustwirbelsäule seltener auftreten als im Bereich der Lenden- und Halswirbelsäule, sollten Sie in jeder Trainingseinheit diese Muskelgruppen mittrainieren. Denn für die Gesamtstatik der Wirbelsäule sind sie sehr wichtig.

Übung 3

Diese Übung trainiert die schräge Halsmuskulatur.

Ausgangsposition: Setzen Sie sich mit aufrechtem Rücken auf einen Stuhl oder einen Gymnastikball. Beide Füße stehen fest am Boden. Das Becken ist leicht nach hinten gekippt, der Brustkorb wird nach vorn geschoben, die Schultern nach hinten gezogen. Der Kopf ist ganz locker und blickt geradeaus. Winkeln Sie beide Arme in Schulterhöhe an und legen Sie die rechte Hand seitlich an die Stirn, die andere an den Hinterkopf.

Übung 3

Endposition: Versuchen Sie nun, den Kopf mit beiden Händen nach links in die Drehung zu drücken. Halten Sie dabei jedoch gleichzeitig mit aller Kraft den Kopf dagegen, sodass er sich trotz des Händedrucks keinen Zentimeter bewegt.

Halten Sie die Spannung so lange wie auf Seite 108 angegeben, machen Sie je nach Trainingsstand 15 bis 20 Sekunden Pause und wiederholen Sie die Übung anschließend so oft wie nötig.

Wechseln Sie anschließend die Position der Hände und trainieren Sie die andere Seite auf die gleiche Weise in der erforderlichen Wiederholungsanzahl. Ganz wichtig: Atmen Sie während der Druckausübung ganz gleichmäßig, um eine Pressatmung zu vermeiden.

Übung 4

Diese Übung trainiert die vordere Halsmuskulatur.

Ausgangsposition: Legen Sie sich flach auf den Rücken. Die Beine sind angewinkelt, die Füße stehen etwa hüftbreit auseinander fest am Boden. Die Arme liegen neben dem Körper.

Ziehen Sie das Kinn nach unten auf die Brust (indem Sie ein starkes Doppelkinn machen). Der Kopf sowie die Schultern bleiben dabei fest auf dem Boden liegen.

Endposition: Heben Sie den Kopf maximal fünf Zentimeter langsam in die Höhe. Die Schultern bleiben dabei also fest am Boden. Drücken Sie nun gleichzeitig das Kinn mit aller Kraft an die Brust (Doppelkinn machen). Halten Sie diese Spannung gemäß Ihrem Trainingszustand (siehe Seite 108). Atmen Sie dabei ganz gleichmäßig und tief ein und aus. Halten Sie auf keinen Fall die Luft an und vermeiden Sie Pressatmung.

Danach das Doppelkinn locker lassen und den Kopf langsam wieder bis auf den Boden absenken. Fühlen Sie ganz bewusst die Entspannung. Nach einer kurzen Pause (15 bis 20 Sekunden) die Übung nach Vorgabe ohne Seitenwechsel wiederholen.

Übung 4

Gut zu wissen

Das bringt die Muskelkraft

- Mehr Kraftausdauer
- Größerer Muskelquerschnitt
- Mehr Muskel-Energiespeicher
- Größere, stärkere und verletzungsresistentere Sehnen und Bänder
- Stärkere Knochendichte der an der Stützung des Körpergewichts beteiligten Knochen
- Vergrößerung der Knochenvorsprünge an den Muskel-Sehnen-Ansätzen
- Dickenzunahme des Gelenkknorpels (bessere Belastbarkeit)
- Verbesserung der Bandscheibenernährung und -belastbarkeit
- Abnahme des Gesamtcholesterins

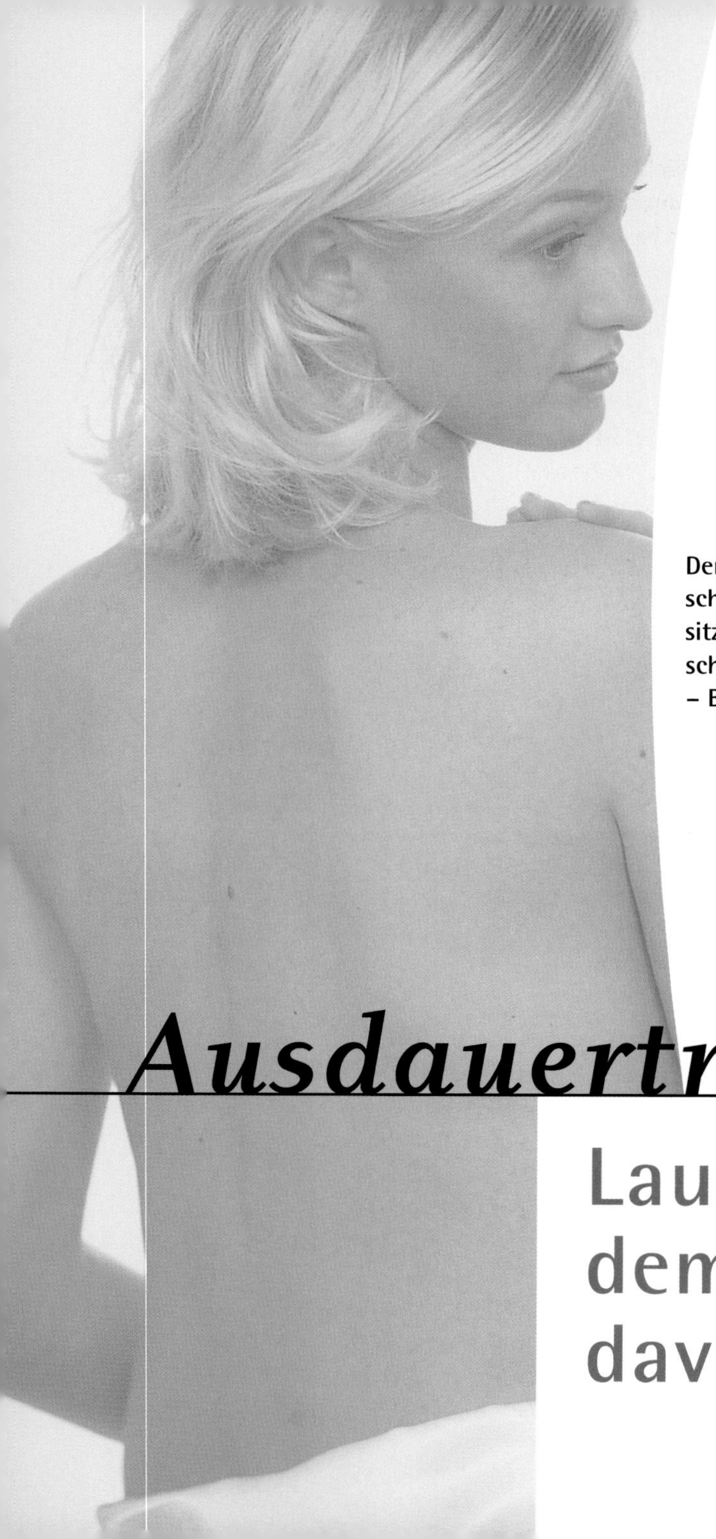

Der Rücken nimmt es Ihnen schnell übel, wenn Sie immer nur sitzen. Die Folge: Er beginnt zu schmerzen. Dagegen hilft nur eins – Bewegung!

Ausdauertraining

Laufen Sie dem Schmerz davon

Sie haben nun die erste Säule Ihres Rückentrainings kennen gelernt – ein effektives Krafttraining zur Stärkung der Rückenmuskulatur. Aber es gibt noch einen weiteren wichtigen Bestandteil im Gesamtkonzept »gesunder Rücken«: das Ausdauertraining.

Was bringt das *Ausdauertraining?*

Sie werden sich an dieser Stelle vielleicht fragen, warum Rückengeplagte ein Ausdauertraining brauchen? Die Antwort auf diese Frage ist ganz einfach: Ausdauertraining entspannt!

Sie wissen, wie der Körper in Stresssituationen reagiert: Die Nebenniere schickt die Stresshormone Adrenalin und Noradrenalin ins Blut. Diese Hormone versetzten unsere urzeitlichen Vorfahren in die Lage, blitzschnell davon zu laufen, wenn sie in Gefahr waren. Was aber tun Sie – tut (fast) jeder moderne Mensch –, wenn Sie mit einem Stressauslöser konfrontiert werden? Genau: Sie bleiben sitzen!

Warum laufen Sie nicht auch im wahrsten Sinne des Wortes davon. Schließlich wäre das die natürliche Reaktion, um die Stresshormone wieder los zu werden, die sonst immer weiter im Blut kreisen. Denn nur wenn Sie den Befehl »Weglaufen«, den das Adrenalin und Noradrenalin Ihrem Körper geben, auch ausführen, normalisiert sich die körperliche Reaktion wieder. Und Sie sind danach wunderbar entspannt.

Positiver Nebeneffekt des Ausdauertrainings: Ihre Fettdepots schmelzen und der Körper baut neue Muskeln auf. Wenn Sie nicht mehr essen, nehmen Sie so automatisch ab!

Mehr Leistungsreserven

Wer regelmäßig Ausdauertraining betreibt, hat aber nicht nur weniger Stress, sondern kann sich auch besser erholen. Denn das Ausdauertraining versorgt uns reichlich mit neuen Energiereserven.

Wer dagegen über eine schlechte Ausdauerleistung verfügt, fühlt sich ständig müde, schlapp und überfordert. Kein Wunder, wenn Sie die zwanzig Treppenstufen in den ersten Stock eines Hauses an Ihre Leistungsgrenze bringen. Sie bewegen sich ständig im Grenzbereich Ihrer körperlichen Leistungsfähigkeit. Ein gezieltes Ausdauertraining kann hier ganz beträchtliche Reserven schaffen. Davon profitieren Sie nicht nur in körperlicher Hinsicht. Wer in schwierigen Situationen nicht körperlich überfordert ist, kann konzentriert und klar denken.

Auch die Erholungsfähigkeit verbessert sich. Sie sind nach der körperlichen Belastungen schneller wieder fit und können so die Probleme des Alltags voller Energie lösen.

Weitere Vorteile des Ausdauertrainings

Lieber regelmäßig und in Maßen trainieren, als nur ab und zu an die Grenzen seiner Leistung zu gehen.

- Ausdauertraining stärkt den wichtigsten Muskel unseres Körpers: das Herz! Dadurch vermindern Sie das Risiko lebensbedrohlicher Herz-Kreislauf-Erkrankungen.
- Ausdauertraining macht intelligent! Denn das Gehirn wird dabei besser durchblutet, und das erhöht die Leistungsfähigkeit unseres Denkorgans.
- Ausdauertraining macht schlank! Denn Bewegung kurbelt die Fettverbrennung an.
- Ausdauertraining fördert das Immunsystem! Die körpereigenen Abwehrkräfte nehmen zu, Sie sind seltener krank.
- Ausdauertraining wirkt positiv auf den gesamten Stoffwechsel! Denn regelmäßige Bewegung normalisiert den Blutdruck und senkt den Cholesterinspiegel.

Expertentipp

Das 1 x 1 des Laufens

- Egal ob Sie sich für Walking oder Joggen entscheiden: Damit die Gelenke nicht zu stark belastet werden, müssen Sie gute Laufschuhe tragen, die weder zu groß noch zu klein sind, und die den Knöchel auch in extremen Situationen ausreichend stützen.
- Nicht nur die falschen Schuhe, auch harte Böden sind Gift für Gelenke und Rücken. Kehren Sie deshalb asphaltierten Straßen den Rücken und laufen Sie auf federnden Untergründen (z. B. im Wald, auf Feldwegen oder einer Wiese).
- Mit Musik geht alles leichter, z. B. das richtige Lauftempo halten. Es gibt sogar spezielle Musikkasetten bzw. CDs für das Lauftraining, die dabei helfen sollen, den Rhythmus der Bewegungen zu koordinieren.
- Joggen Sie nicht mit Gepäck (Rucksack), da das den Rücken unnötig belastet. Schlüssel, Walkman und Co. können Sie genauso gut in einer Gürteltasche transportieren.

Testen Sie Ihre *Ausdauer*

Nachdem Sie so viele Vorzüge des Ausdauertrainings kennen gelernt haben, möchten Sie nun sicherlich wissen, wie es um Ihre Ausdauerleistung bestellt ist. Dieser Test verrät es Ihnen.

Testvorbereitung

Für den folgenden Test stellen Sie sich vor eine Treppe, eine Stepbank oder einen Hocker. Die Stufenhöhe (bzw. Höhe des Hockers) muss je nach Körpergröße zwischen 30 und 50 Zentimeter betragen. Ob die Höhe stimmt, erkennen Sie daran, dass das Knie etwa 90 Grad gebeugt ist, wenn der ganze Fuß flach aufgesetzt wird.

Außerdem benötigen Sie noch eine Uhr mit Sekundenanzeige, damit Sie die Testphase stoppen können.

Wenn Ihnen schwindelig wird oder Sie in Atemnot geraten, brechen Sie den Test sofort ab und wiederholen ihn zu einem späteren Zeitpunkt. Fragen Sie notfalls Ihren Hausarzt um Rat.

»Treppen steigen«

Stellen Sie drei Minuten lang abwechselnd den rechten und den linken Fuß mit der gesamten Fläche auf die Stufe bzw. den Hocker. Gehen Sie dabei mit Ihrem ganzen Gewicht mit, als würden Sie wirklich eine Treppe hoch steigen. Halten Sie sich dabei an die vorgegebene Zeit: Jeder Tritt sollte etwa zwei Sekunden dauern, sodass Sie nach drei Minuten 90 »Stufen« erklommen haben.

Den Puls berechnen

Bestimmen Sie vor der Übung Ihren Ruhepuls (P1). Um einen verbindlichen Wert zu erhalten, legen Sie sich davor mindestens zehn Minuten hin. Führen Sie den Test aus und ermitteln Sie jeweils den Pulswert unmittelbar nach der dreiminütigen Belastung (P2) und eine Minute nach der Belastung (P3). Dann bestimmen Sie den Leistungsindex (L-Index) nach der folgenden Formel:

Wenn Sie ein elektronisches Herzfrequenzmessgerät besitzen, können Sie Ihren Puls (P1, P2, P3) damit errechnen.

$$\text{L-Index} = \frac{(P1+P2+P3)-200}{10}$$

Nun ist der Test abgeschlossen. Die Auswertung finden Sie auf der nächsten Seite.

L- Index	Beurteilung
0 – 2,9	hervorragend
3 – 5,9	sehr gut
6 – 9,9	gut
10 – 14	normal
Mehr als 14,1	verminderte Leistungsfähigkeit

Laufen Sie sich fit

Walking ist der ideale Ausdauersport für Anfänger, da es weniger anstrengend ist als Jogging.

Das wichtigste am Ausdauertraining ist, dass Sie wirklich dranbleiben und regelmäßig dabei sind. Suchen Sie sich daher eine Sportart, die Ihnen richtig Spaß macht. Nur dann trainieren Sie über einen langen Zeitraum hinweg. Und das ist das Zweitwichtigste.

Schwimmen, Radfahren, Inline-Skating, Skilanglauf, Bergwandern oder Aerobic – es gibt viele Möglichkeiten sich zu bewegen. Die natürlichste Sportart, auch für den Rücken, ist das Laufen. Es kräftigt die komplette Rumpf- und Beinmuskulatur und fördert durch die wechselnde Be- und Entlastung die Ernährung der Bandscheiben.

Der Mensch ist von Natur aus Läufer. In jedem von uns steckt daher die Kraft und die Ausdauer, auch lange Strecken zu laufen. Die Ursachen dafür liegen wieder in grauer Vorzeit begründet. Der Neandertaler war Jäger. Das bedeutete, oft stunden- ja tagelang hinter einer Beute »herzujoggen«. Er war aber auch Sammler, was wiederum hieß, lange Zeit umherzuwandern und Essbares zu suchen. Der Mensch ist also auch ein »Walker«.

Unter dem Begriff »Laufen« versteht man heute sowohl Walking als auch Jogging. Walking ist als Ausdauersport für die meisten Menschen besser geeignet als Jogging, vor allem dann, wenn sie erst mit dem Ausdauertraining beginnen. Denn viele von uns haben das Laufen verlernt, oft schon in der Schule (normalerweise laufen spielende Kinder bis zu zehn Kilometer am Tag). Wenn Sie auch zu denjenigen gehören, die lange Zeit nicht sportlich aktiv waren, und noch dazu mit Gelenken oder dem Rücken Probleme haben, ist Walking genau die richtige Ausdauersportart für Sie.

Wie schnell sollten Sie laufen?

Maßgeblich für einen optimalen Trainingseffekt ist nicht das Tempo, sondern die Herzfrequenz und die Trainingsdauer. Das Motto lautet: lang und langsam oder kurz und schnell. Aber nicht zu schnell! In jedem Fall wählen Sie Ihr Tempo so, dass genügend Sauerstoff zur Verfügung steht, denn dieser wird zur Energieerzeugung in der Muskulatur benötigt. Vergleichen Sie es mit einem Feuer. Wenn Sie ihm Luft zufächeln, lodert es auf. Ohne Sauerstoff geht das Feuer nach kurzer Zeit aus.

Herzfrequenzmessgeräte kontrollieren während des ganzen Trainings konstant Ihre Leistung. Die praktischen Geräte sind im Sportfachhandel bereits für weniger als 50 Euro erhältlich.

Beim Walking oder Jogging ist es das Gleiche. Ohne Sauerstoff übersäuert die Muskulatur, über kurz oder lang müssen Sie atemlos stehen bleiben. Auf die richtige Geschwindigkeit kommt es also an. Diese lässt sich leicht durch die Herzfrequenz kontrollieren, am besten mittels kleiner elektronischer Herzfrequenzmesser. Ein Gurt um die Brust empfängt das Signal und gibt es an eine Uhr weiter, auf der dann die aktuelle Herzfrequenz erscheint.

Sie können die Herzfrequenz aber auch mit der Hand an der Halsschlagader messen. Diese Methode ist allerdings weniger genau. Außerdem können Sie Ihren Puls nicht während des gesamten Trainings kontrollieren.

Beim Pulsmessen per Hand zehn Sekunden stoppen und die Pulsschläge, die Sie in dieser Zeit gezählt haben, mit sechs multiplizieren.

Wie oft sollten Sie laufen?

Das wichtigste beim Laufen ist die Regelmäßigkeit: mindestens zweimal, aber nicht öfter als viermal pro Woche. Nur wenn Sie sich daran halten, können Sie die vielen positiven Veränderungen durch das Laufen spüren. Planen Sie immer auch die nötige Erholungszeit in Ihr Sportprogramm ein. Für Anfänger optimal: einen Tag laufen, einen Tag Pause – vom Laufen wohlgemerkt. Ihr Krafttraining können Sie währenddessen ohne weiteres absolvieren.

Der größte Teil Ihres Lauftrainings sollte im langsamen Bereich stattfinden. Erst wenn Sie zwei bis drei Monate regelmäßig trainiert haben, können Sie auch etwas intensiver laufen.

Das langsame Lauftraining

Wenn Sie sich unterhalten können, ohne Seitenstechen zu bekommen, stimmt das Lauftempo.

Die richtige Belastungsintensität zu finden, ist gar nicht so einfach. Viele laufen z. B. zu schnell los, um nach fünf Minuten völlig entkräftet und atemlos für immer aufzugeben. Andere wiederum trainieren nach dem Motto: Nur was wehtut, bringt auch etwas. Dann stellt das Training lediglich einen weiteren Stressfaktor dar. Beide Varianten sollten Sie vermeiden. Orientieren Sie sich stattdessen an folgender Tabelle, die je nach Alter und Ruhepuls die optimalen Herzfrequenzbereiche vorgibt. Den Ruhepuls messen Sie in der Früh nach dem Aufwachen an der Halsschlagader.

Diese Art des langsamen Trainings bietet alle beschriebenen gesundheitlichen Vorteile. Es ist jedoch wichtig, dass Sie Ihre Grenzwerte einhalten. Ob Sie dabei joggen oder walken ist egal. Hauptsache Sie können sich jederzeit problemlos unterhalten. Die Atmung ist bei diesem Tempo nur leicht beschleunigt.

Wenn Sie anfangs das Gefühl haben, dass Ihnen das Tempo eigentlich zu langsam ist, liegen Sie genau richtig. Sie sollten nämlich durchhalten, mindestens 40, besser 60 Minuten. Dann verbrennt der Körper als Energiequelle hauptsächlich Fette. Keine Angst, dass Sie die Zeit nicht schaffen. Sie werden sehen, dass das Training eher an einen Fahrradausflug mit der Familie erinnert als an harten Sport.

	Ruhepuls pro Minute				
Alter	50	60	70	80	90
20	130 – 140	134 – 144	138 – 148	142 – 152	146 – 156
25	127 – 137	131 – 141	135 – 145	139 – 149	143 – 153
30	124 – 134	128 – 138	132 – 142	136 – 146	140 – 150
35	121 – 131	125 – 135	129 – 139	133 – 143	137 – 147
40	118 – 128	122 – 132	126 – 136	130 – 140	134 – 144
45	115 – 125	119 – 129	123 – 133	127 – 137	131 – 141
50	112 – 122	116 – 126	120 – 130	124 – 134	128 – 138
55	109 – 119	113 – 123	117 – 127	121 – 131	125 – 135
60	106 – 116	110 – 120	114 – 124	118 – 128	122 – 132
65	103 – 113	107 – 117	111 – 121	115 – 125	119 – 129
70	100 – 110	104 – 114	108 – 118	112 – 122	116 – 126

Das intensive Lauftraining

Wenn Sie bereits Erfahrung mit Ausdauertraining haben und sich manchmal so richtig auspowern möchten, dann – und nur dann – ist die schnelle Variante des Laufens das Richtige für Sie. Wohlgemerkt: Auch dieses Training darf nicht zu einer Übersäuerung der Muskulatur führen. Denn dann würden die gesundheitlichen Vorteile ins Gegenteil umgekehrt werden. Also bremsen Sie sich. Die unten stehende Tabelle dient wiederum zur Orientierung.

Wenn Sie vom langsamen aufs intensive Training umsteigen wollen, legen Sie zwischendurch immer wieder einen höheren Gang ein.

Wann Sie aufhören zu walken und mit dem Joggen beginnen, hängt von Ihrer ganz persönlichen Leistungsfähigkeit ab. Wenn Sie sich jedoch einmal für die schnellere Gangart entschieden haben, haben Sie wahrscheinlich das Gefühl, intensiver zu trainieren. Die Atmung ist spürbar beschleunigt, aber nicht unangenehm. Sie sind konzentriert, nehmen aber alles um sich herum noch wahr.

Die wichtigste Grundregel beim Joggen lautet: Intensives Training ist nicht gleichbedeutend mit maximalem Training. Die Trainingsdauer ist daher deutlich kürzer als beim langsamen Ausdauertraining. Sie brauchen also nicht mehr eine Stunde laufen. Schon 20 bis 30 Minuten sind völlig ausreichend. Weniger sollte es jedoch auch nicht sein, da der Körper sonst zu wenig Fett verbrennt und hauptsächlich von schnell verfügbaren Energiereserven zehrt (z. B. Zucker).

	Ruhepuls pro Minute				
Alter	50	60	70	80	90
20	160 – 170	162 – 172	164 – 174	166 – 176	168 – 178
25	156 – 166	158 – 168	160 – 170	162 – 172	164 – 174
30	152 – 162	154 – 164	156 – 166	158 – 168	160 – 170
35	148 – 158	150 – 160	152 – 162	154 – 164	156 – 166
40	144 – 154	146 – 156	148 – 158	150 – 160	152 – 162
45	140 – 150	142 – 152	144 – 154	146 – 156	148 – 158
50	136 – 146	138 – 148	140 – 150	142 – 152	144 – 154
55	132 – 142	134 – 144	136 – 146	138 – 148	140 – 150
60	128 – 138	130 – 140	132 – 142	134 – 144	136 – 146
65	124 - 134	126 – 136	128 – 138	130 – 140	132 – 142
70	120 – 130	122 – 132	124 – 134	126 – 136	128 – 138

Wenn Sie stets gestresst sind und permanent unter Spannung stehen, verkrampfen auch die Muskeln. Regelmäßige Auszeiten sind daher nicht nur für die Psyche sehr wichtig, sondern auch für den Rücken.

Entspannungstraining

Aktiv gegen Stress

Stress ist die Krankheit unserer zivilisierten Informations- und Dienstleistungsgesellschaft. Manche Wissenschaftler behaupten, wir würden heute beim Überqueren einer vierspurigen Straße mehr Stress erleben, als ein Neandertaler an einem ganzen Tag. Wir haben schon betont, dass Stress nicht in jedem Fall ein negatives Ereignis ist. Freude, Stolz oder auch ein leidenschaftlicher Kuss haben die gleichen körperlichen Folgen wie Angst, Ärger oder Wut. Auch diese negativen Gefühle bleiben in der Regel ohne krankmachende Wirkung, so lange sie von kurzer Dauer bleiben. Stress macht erst dann krank, wenn eine Person chronisch über- oder unterfordert ist.

Lernen Sie *loszulassen*

Nun stellt sich natürlich die Frage, wie man den Ursachen und negativen Folgen von Stress begegnen kann! Das Zauberwort heißt ganz einfach »Entspannung«. Der Grund: Sie können nicht gleichzeitig gestresst und entspannt sein, denn diese beiden Zustände schließen sich gegenseitig aus. Ein gezielt erlerntes Entspannungstraining wird Sie daher in die Lage versetzen, dem Stress im wahrsten Sinne des Wortes den Hahn abzudrehen.

Im Idealfall legen Sie in stressigen Situationen einen inneren Hebel auf Entspannung. Dazu ist es allerdings notwendig, eine Entspannungstechnik zu erlernen. Von selbst funktioniert das leider nicht. Die Kunst sich zu entspannen muss genauso geübt und trainiert werden wie die Muskulatur.

Ganz wichtig für den Anfang: Schaffen Sie sich günstige Rahmenbedingungen. Folgende Verhaltensregeln sind der erste wichtige Schritt in die neue Richtung:

- Lernen Sie, Nein zu sagen! Schließlich sind Sie genauso wichtig wie alle anderen.
- Planen Sie Erholungszeiten ein! Nur wer sich Ruhepausen zugesteht, hat die optimale Leistungsfähigkeit.
- Nehmen Sie sich neben beruflichen oder privaten Verpflichtungen immer auch Zeit für sich selbst!
- Versuchen Sie nicht, alle Probleme auf einmal zu lösen!
- Verteilen Sie Aufgaben, lernen Sie zu delegieren!

Stellen Sie Ihre eigenen Bedürfnisse nicht immer hinten an. Wenn Sie sich vorgenommen haben, etwas für sich selbst zu tun, nehmen Sie sich auf jeden Fall die Zeit dazu! Genauso als würden Sie eine Verabredung mit jemandem haben.

- Geben Sie sich die Erlaubnis zu versagen, ohne Angst, dass davon die Welt untergeht!
- Vergleichen Sie sich nicht ständig mit anderen!
- Verringern Sie Ihr Bedürfnis, alles kontrollieren zu müssen und verstehen zu wollen!

Sie sehen: In vielen Fällen hilft es bereits, das Leben insgesamt ein wenig leichter zu nehmen, nicht alles hundertprozentig machen zu wollen und sich selbst genügend Freiräume für Auszeiten zu schaffen. Oft reichen diese guten Vorsätze jedoch nicht aus, um negative Stresserlebnisse zu umgehen. Dann ist es notwendig, eine wirkungsvolle Entspannungstechnik zu erlernen. Yoga, Feldenkrais, autogenes Training, Hypnose und Meditation sind einige Möglichkeiten dazu. Wer diese Entspannungstechniken lernen will, sollte dies jedoch am besten unter der Anleitung eines erfahrenen Lehrers tun.

Neben Volkshochschulen bieten auch immer mehr Fitnessstudios professionelle Kurse zum Thema Entspannung an.

Es gibt aber auch effektive und einfache Methoden, die Sie leicht selbst lernen können: die progressive Muskelentspannung nach Jacobson und das Atemtraining.

Auswirkung von Stress auf	Kurzfristig	Langfristig
Körper	Herzrasen, erhöhter Blutdruck, Adrenalinausstoß	Kopfschmerzen, Magengeschwür, Herz-Kreislauf-Erkrankungen
Erleben	Anspannung, Frustration, Ärger, Müdigkeit	Unzufriedenheit, Depression, sinkendes Selbstwertgefühl
Leistung	Leistungsschwankungen, Konzentrationsmangel	Gefahr der Nikotin-, Alkohol- oder Arzneimittelabhängigkeit
Sozialverhalten	Erhöhte Aggressivität, größere Verschlossenheit	Eskalierende Konflikte, resignativer Rückzug in sich selbst

Progressive Muskelentspannung

Die Progressive Muskelentspannung nach Jacobson ist ein Entspannungsverfahren, das in den Dreißigerjahren von dem amerikanischen Psychologen Edmund Jacobson entwickelt wurde. Das Prinzip der progressiven Muskelentspannung beruht auf der Tatsache, dass psychische Anspannung immer auch eine Anspannung der Muskulatur mit sich bringt. Und ebenso ist es umgekehrt! Wenn Sie also lernen, in stressigen Situationen die Muskelspannung wahrzunehmen und dann bewusst loszulassen, entspannt sich damit auch die Psyche.

Der Erfolg der Jacobson-Methode beruht auf der Wechselwirkung von angespanntem und entspanntem Muskel.

Durch den Wechsel von Anspannung und Entspannung der Muskulatur lernen Sie, sich besonders auf den entspannten Zustand zu konzentrieren. Damit vermeiden Sie, dass die Rückenmuskulatur durch ständige Anspannung überlastet wird und dann schmerzt.

Allgemeine Übungen – Stufe 1

Bei der ersten Stufe geht es darum, Erfahrung mit der progressiven Muskelentspannung zu sammeln, ein Körpergefühl für Anspannung und Entspannung zu entwickeln und erste Erfolge wahrzunehmen.

Wiederholen Sie die folgenden 14 Übungen je einmal. Trainieren Sie dabei anfangs möglichst jeden Tag, mindestens jedoch alle zwei Tage. Insgesamt benötigen Sie dazu etwa 10 bis 15 Minuten.

Suchen Sie sich zuerst einen ruhigen Ort. Legen Sie sich auf den Rücken und schließen Sie die Augen. Spannen Sie bei jeder Übung die jeweilige Muskelgruppe sieben Sekunden an. Danach lösen Sie die Spannung und spüren etwa 20 Sekunden ganz bewusst die Entspannung in der Muskulatur. Lassen Sie sich Zeit, bis Sie zur nächsten Übung gehen.

Für alle Übungen der Stufe 1 und 2 gilt: Muskulatur anspannen – Spannung halten – Spannung loslassen. Dann einige Sekunden warten und mit der nächsten Muskelgruppe weitermachen.

1. **Rechte Hand, rechter Unterarm:** Schließen Sie die rechte Hand zu einer Faust.
2. **Rechter Oberarm:** Strecken Sie den Arm ganz aus.
3. **Linke Hand, linker Unterarm:** Schließen Sie die linke Hand zu einer Faust.
4. **Linker Oberarm:** Strecken Sie den Arm ganz aus.
5. **Augen und Nase:** Kneifen Sie die Augen fest zusammen und rümpfen Sie die Nase.

6. **Wangen und Kiefer:** Drücken Sie die Zähne behutsam aufeinander und ziehen Sie die Mundwinkel nach außen.
7. **Nacken und Hals:** Nehmen Sie das Kinn zum Hals (Doppelkinn machen) und drücken Sie den Hinterkopf gegen den Boden.
8. **Schultern und Nacken:** Ziehen Sie die Schultern nach oben.
9. **Bauch:** Ziehen Sie den Bauch nach innen und drücken Sie den unteren Rücken gegen den Boden.
10. **Rücken:** Drücken Sie das Becken weg vom Boden. Nur die Schultern und die Unterschenkel halten Kontakt.
11. **Rechter Oberschenkel:** Spannen Sie den rechten Oberschenkel an.
12. **Rechter Unterschenkel:** Ziehen Sie die Zehen des rechten Fußes in Richtung Schienbein.
13. **Linker Oberschenkel:** Spannen Sie den linken Oberschenkel an.
14. **Linker Unterschenkel:** Ziehen Sie die Zehen des linken Fußes in Richtung Schienbein.

Wenn tagsüber keine Zeit für das Entspannungsprogramm blieb, können Sie es vor dem Einschlafen im Bett nachholen.

Wirbelsäulenübungen – Stufe 2

Jetzt geht es darum, sich auf diejenigen Muskelgruppen zu konzentrieren, die für die Wirbelsäule eine wichtige Rolle spielen. Denn sie neigen unter Stress besonders zur Verspannung.

Die gezielte Entspannung von Oberkörper und Armen ist bei Rückenschmerzen besonders wirkungsvoll!

Üben Sie mindestens dreimal pro Woche. Legen Sie sich auf den Rücken und schließen Sie die Augen. Spannen Sie wiederum jede Muskelgruppe sieben Sekunden an, lösen Sie dann die Spannung und spüren Sie etwa 30 Sekunden ganz bewusst die Entspannung. Wiederholen Sie jede Übung drei- bis viermal.

1. **Rechte Hand, rechter Unterarm:** Machen Sie eine Faust.
2. **Linke Hand, linker Unterarm:** Schließen Sie die linke Hand zur Faust.
3. **Wangen und Kiefer:** Drücken Sie die Zähne behutsam aufeinander und ziehen Sie die Mundwinkel nach außen.
4. **Nacken und Hals:** Nehmen Sie das Kinn zum Hals (Doppelkinn machen) und drücken Sie den Hinterkopf gegen den Boden.
5. **Schultern und Nacken:** Ziehen Sie die Schultern nach oben.
6. **Bauch:** Ziehen Sie den Bauch nach innen und drücken Sie den unteren Rücken gegen den Boden.
7. **Rücken:** Drücken Sie das Becken vom Boden. Nur die Schultern und die Unterschenkel halten Kontakt.

Bewusstes *Atemtraining*

Stress bewirkt, dass Sie öfter ein- und ausatmen. Auch das ist eine genetisch angelegte Reaktion unseres Körpers. Während wir normalerweise etwa 12 bis 16 Atemzüge pro Minute machen, steigt die Zahl in stressigen Situationen, die Atmung wird flacher. Wenn Sie dagegen entspannt sind, können Sie auch mit weniger als zwölf Atemzügen auskommen. Durch folgende Übungen lernen Sie, sich durch bewusstes Atmen zu entspannen.

Übung 1

Nehmen Sie sich etwa fünf Minuten Zeit. Setzen Sie sich ganz entspannt auf einen Stuhl und legen Sie eine Uhr neben sich. Die Hände nehmen Sie in den Schoß. Konzentrieren Sie sich jetzt auf Ihre Atmung. Wie oft atmen Sie in der Minute?

Konzentrieren Sie sich auf das Ausatmen! Atmen Sie ein und länger wieder aus. Warten Sie, bis Sie wieder von selbst einatmen. Versuchen Sie dann, die Zahl der Atemzüge pro Minute zu reduzieren. Erst zehn, dann acht, dann noch weniger. Üben Sie drei- bis viermal pro Woche, bis es nur noch vier Atemzüge sind.

Übung 2

Legen Sie sich bequem auf den Boden und schließen Sie die Augen. Atmen Sie tief ein, und fühlen Sie das Gewicht Ihres Körpers fest auf dem Boden, während Sie langsam ausatmen. Bei den nächsten Atemzügen konzentrieren Sie sich darauf, wie der Boden das Gewicht trägt. Achten Sie jetzt besonders auf Ihre Füße. Wie fühlen sich Ihre Zehen an, wie die Muskeln in der Fußsohle und um die Fußknöchel? Wenn sich irgendein Teil angespannt anfühlt, verweilen Sie, und lassen Sie diese Anspannung beim Ausatmen abklingen.

Wenn Sie diese Übung beenden möchten, beginnen Sie mit kleinen Bewegungen. Strecken Sie sich, öffnen Sie die Augen und richten Sie sich langsam auf.

Beschäftigen Sie sich nacheinander mit allen größeren Muskelgruppen (Unterschenkel, Oberschenkel, Gesäß, Becken, Taille, Magengegend, unterer Rücken, oberer Rücken, Brustkorb, Schultern, Oberarm, Unterarm, Hände, Hals, Mund, Zunge, Wangen, Augen, Stirn). Lassen Sie jegliche Spannung beim Ausatmen in den Boden abfließen und genießen Sie das friedliche, angenehme Gefühl.

Service Ernährung

Die folgenden Internetadressen bieten Ihnen vielfältige Informationen rund um das Thema gesunde Ernährung:

- www.nutriinfo.de
  Diese Seite gibt Antworten auf fast alle Fragen zum Thema Ernährung.

- www.focus.de/essen
  Hier können Sie die Kalorien Ihres Speiseplans berechnen.

- www.dge.de
  Die Homepage der Deutschen Gesellschaft für Ernährung e.V. bietet viele Informationen und eine umfangreiche Datenbank zum Thema Ernährung.

- www.aok.de
  Auf der Homepage der Krankenkasse finden Sie viele interessante Gesundheitstipps und sogar eine Ernährungsberatung.

Service Trainingspläne Bauch

Auf der folgenden Seite finden Sie zwei Mustertrainingspläne, an denen Ihnen beispielhaft gezeigt werden soll, wie Ihre Trainingswoche aussehen könnte. Es wird zwischen einem Trainingsprogramm mit Schwerpunkt Fettabbau und einem Programm mit Schwerpunkt Körperformung unterschieden. Damit Sie sich Ihr Training ganz individuell zusammenstellen können, ist auf der Seite 128/129 ein Wochenplaner als Kopiervorlage abgedruckt. In diesen Plan können Sie schon Wochen im Voraus Ihre Trainingseinheiten eintragen und Ihr Training ganz individuell planen. Sie haben Ihr Pensum immer übersichtlich vor Augen und wissen damit stets, welche Übungen gerade dran sind. Mit dem Trainingsplaner gibt es auch keine Entschuldigung für ein vergessenes Training.

Service Mustertrainingspläne Bauch

Mustertrainingsplan mit Schwerpunkt Fettabbau

Montag	Intensives Ausdauertraining 30 Minuten
Dienstag	Krafttraining 10 – 30 Minuten
Mittwoch	Fettstoffwechseltraining 60 Minuten
Donnerstag	Trainingsunterbrechung
Freitag	Intensives Ausdauertraining 20 Minuten
Samstag	Krafttraining 10 – 30 Minuten
Sonntag	Fettstoffwechseltraining 60 – 80 Minuten

Mustertrainingsplan mit Schwerpunkt Körperformung

Montag	Krafttraining 10 – 30 Minuten
Dienstag	Intensives Ausdauertraining 30 Minuten
Mittwoch	Krafttraining 10 – 30 Minuten
Donnerstag	Trainingsunterbrechung
Freitag	Krafttraining 10 – 30 Minuten
Samstag	Fettstoffwechseltraining 60 – 80 Minuten
Sonntag	Krafttraining 10 – 30 Minuten

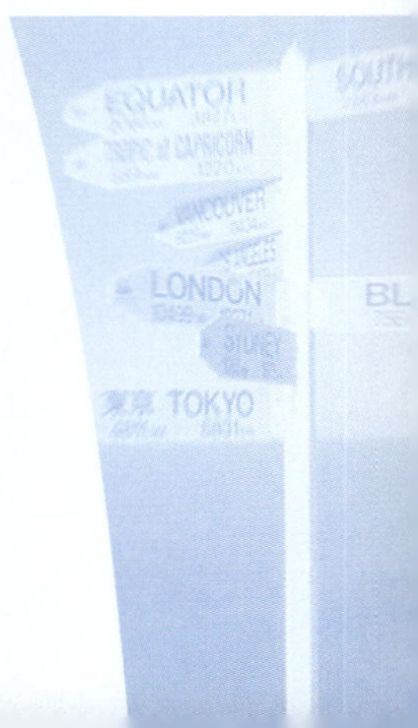

Service Ihr Trainingsplaner Bauch

	Montag	Dienstag	Mittwo
1. Woche			
2. Woche			
3. Woche			
4. Woche			
5. Woche			
6. Woche			
7. Woche			
8. Woche			
9. Woche			
10. Woche			
11. Woche			
12. Woche			
13. Woche			
14. Woche			
15. Woche			
16. Woche			

nnerstag	Freitag	Samstag	Sonntag

Service Leistungs-Check Rücken

Leistungs-Check

Die folgende Tabelle hilft Ihnen dabei, Ihre Trainingsfortschritte objektiv zu beurteilen. Machen Sie sich eventuell einige Kopien davon und tragen Sie jeweils die Testergebnisse (für die Tests auf Seite 79 ff.) oder die Anzahl der jeweils erreichten Wiederholungen aus dem Übungsteil (ab Seite 90) ein. Anhand der Einträge können Sie dann in regelmäßigen Abständen kontrollieren, ob sich die Rückenmuskulatur gekräftigt hat oder ob Sie öfter trainieren müssen.

Datum						
Übung	**Wdh.**	**Wdh.**	**Wdh.**	**Wdh.**	**Wdh.**	**Wdh.**

Datum						
Übung	Wdh.	Wdh.	Wdh.	Wdh.	Wdh.	Wdh.

Service Checkliste – Die richtige Sportart

Die richtige Sportart

Laufen ist nach wie vor die beliebteste Ausdauersportart. Aber auch beim Schwimmen, Radfahren oder Inlineskaten können Sie auf rückenfreundliche Weise Stress abbauen und etwas für Ihre Ausdauer tun.

Die nachstehende Tabelle soll Ihnen die Entscheidung für die eine oder andere Sportart etwas erleichtern. Die Bewertung erfolgte unter besonderer Berücksichtigung von Einsteigern und weniger Geübten.

	Jogging	Radfahren	Schwimmen	Walking	Inlineskating	Langlauf	Aerobic	Triathlon
Effektivität	2	3	2	2	3	1	2	2
Fettstoffwechsel	3	1	3	1	1	1	4	1
Belastungsdosis	2	1	2	2	1	1	3	1
Gelenkbelastung	4	2	1	1	1	1	3	2
Spaßfaktor	3	2	3	3	1	2	1	3
1. Zwischennote	2,8	1,8	2,2	1,8	1,4	1,2	2,6	1,8
Bedingungen	1	2	4	1	2	5	5	2
Kosten	2	2	1	1	3	4	4	5
Sicherheit	1	2	2	1	4	2	2	2
2. Zwischennote	1,3	2,0	2,3	1,0	3,0	3,7	3,7	3,0
Gesamtnote	2,1	1,9	2,3	1,4	2,2	2,4	3,2	2,4

1 = sehr gut, 2 = gut, 3 = befriedigend, 4 = ausreichend, 5 = mangelhaft

Erklärungen

▪ Effektivität

Je mehr Muskelmasse bei einer Ausdauersportart eingesetzt wird, desto intensiver wird das Herz-Kreislauf-System belastet und desto geringer ist der Trainings-Zeitaufwand bei gleichem Energieverbrauch.

▪ Fettstoffwechsel

Um während des Trainings die optimale Fettverbrennung zu erreichen, ist eine lange Belastungsdauer bei gleichzeitig geringer Anstrengung nötig. Das ist bei einigen Sportarten einfacher zu realisieren als bei anderen.

▪ Belastungsdosis

Eine Sportart sollte sich sowohl zum Fettstoffwechsel- als auch zum Ausdauertraining eignen. Dazu muss die Belastung auch auf lange Dauer gleich bleibend gering sein und sich auch von einem Anfänger kontrolliert »dosieren« lassen.

▪ Gelenkbelastung

Dieser Punkt bewertet das Risiko für Knie- und Hüftgelenke. Bestehen bereits Gelenkprobleme, fragen Sie im Zweifelsfall Ihren Arzt um Rat.

▪ Spaßfaktor

Die Beurteilung dieses Punktes ist subjektiv. Die einen lieben das Training in der Gruppe oder zu Musik, andere suchen Ruhe und Einsamkeit, um dem Alltag zu entfliehen. Wieder andere trainieren gerne mit dem Partner oder Freunden. Der Spaßfaktor hängt also stark von persönlichen Vorlieben ab.

▪ Bedingungen

Dieser Punkt bewertet die Abhängigkeit von äußeren Bedingungen wie z. B. Wetter notwendige Kursangebote.

▪ Kosten

Auch eine wichtige Frage: Wie hoch ist der finanzielle Aufwand? Bedenken Sie aber auch, dass viele Kosten nur einmal anfallen (z. B. für Bekleidung).

▪ Sicherheit

Je nach Ausdauersportart kann das Verletzungsrisiko nicht nur für Anfänger erhöht sein.

Service Literatur

Basisliteratur

Wer intensiver in die Thematik straffer Bauch und starker Rücken einsteigen will, findet in folgenden Büchern und Artikeln wertvolles Basiswissen.

Buskies W./Boeckh-Behrens W.-U.: Gesundheitsorientiertes Fitnesstraining, Band 2. Wehdemeier & Pusch Verlag, Lüneburg 1995

De Marées, H.: Sportphysiologie. Tropon Werke, Bochum 1989

Denner, Achim: Muskuläre Profile der Wirbelsäule, Band1: Grundlagen. Verlag Sport und Buch Strauß, Köln 1995.

Hamm, M.: Das große Buch der Diäten. FIT FOR FUN Verlag, Hamburg 1995

Kapandji, I.A.: Funktionelle Anatomie der Gelenke, Band 3: Rumpf und Wirbelsäule. Ferdinand Enke Verlag, Stuttgart 1992.

Kirchner, Gerhard u. a.: Seniorensport: Theorie und Praxis. Meyer und Meyer Fachbuchverlag, Aachen 1998.

Lockwood, C. M.: U.L.T.R.A. 12-Monatssystem. In: Muscle & Fitness 07/99. Wieder Publishing Ltd., Harrogate

Niethard, Fritz U./Pfeil, Joachim: Orthopädie. Hippokrates Verlag, Stuttgart 1992.

Ott, Petra: Immer mit der Ruhe. Entspannung für Körper und Seele. Rowohlt Taschenbuch Verlag, Reinbeck bei Hamburg 2000.

Pramann, Ulrich: Einfach wohl fühlen. Südwest Verlag, München 2000.

Radlinger, L. u. a.: Rehabilitative Trainingslehre. Georg Thieme Verlag, Stuttgart – New York 1998

Redener, C.: 12 Geheimnisse schlanker Männer. In: Men's Health 5/99. Rodale-Motor Presse, Stuttgart

Tittel, Kurt: Beschreibende und funktionelle Anatomie des Menschen. VEB Gustav Fischer Verlag, Jena 1990.

Weiterführende Literatur

Wenn Sie weitere Tipps zum Thema Ausdauer und Training suchen, empfehlen wir folgendes Buch: »10-Minuten-Workout für einen Superbody« (Rita Irlesberger, Midena Verlag, 2000).

Übungen nicht nur für den Bauch, sondern für alle weiteren Problemzonen finden Sie im »Trainingsprogramm Bauch, Beine, Po – Das Übungsbuch mit dem Dyna-Band« (Baur/Thurner, Midena Verlag, 2000). Die Übungen werden mit einem elastischen Gymnastikband durchgeführt.

Speziell für den aktiven Mann bietet das Buch »Trainingsprogramm Bauch & Bizeps« (Baur/Thurner, Midena Verlag, 2001) ein intensives Bodyworkout. Dem Buch liegt ein Stretch-Band bei.

Internetadressen

Wer sich im Internet zum Thema gesunder Rücken informieren will, findet u. a. auf folgenden Homepages Hilfe:

www.aok.de
www.barmer.de
www.fpz.de
www.lifeline.de
www.zdf.de/ratgeber/praxis/archiv

Gymnastikbälle

Für einige Übungen des Trainingsprogramms für den starken Rücken benötigen Sie einen Gymnastikball. Die Bälle gibt es in unterschiedlichen Größen in jedem Sportgeschäft. Wie groß der Gymnastikball sein muss, hängt von Ihrer Körpergröße ab. Die unten angegebene Größe des Balles bezieht sich auf seinen Durchmesser:

- bis 1,45 Meter: 45 Zentimeter
- bis 1,55 Meter: 55 Zentimeter
- bis 1,65 Meter: 65 Zentimeter
- über 1,75 Meter: 75 Zentimeter

Service Adressen

Adressen

Im Folgenden finden Sie eine Auswahl an ambulanten Therapiezentren, die bei Rückenproblemen eine sehr effektive Kombination aus Training und Therapie anbieten.

PLZ 0:

Reha Nord GmbH
Martin Weber/Silke Juschten
Königsbrücker Str. 68
01099 Dresden
Tel. 03 51/8 29 90 22

Therapiezentrum Krause KG
Andreas Krause
Tutzendpromenade 2a
07745 Jena
Tel. 0 36 41/20 24 00

PLZ 1:

Physio-Top-Rehazentrum
Dr. Katrin Haenselt-Beilfuß
Geisbergerstr. 20
10777 Berlin
Tel. 0 30/2 14 90 20

Therapiezentrum Görden GmbH
Ilse Dromnitz
Gördenallee 34-36
14772 Brandenburg
Tel. 0 33 81/70 19 64

PLZ 2:

REHA-Zentrum
Hamburg GmbH
Jens Duve
Sand 18
21073 Hamburg
Tel. 0 40/7 66 55 06

Reha Centrum Cuxhaven
Krankengymnastik,
Rehabilitation und
Präventionsstudio
Martin Gojny
Kurparkallee 53
27476 Cuxhaven
Tel. 0 47 21/44 44 22

PLZ 3:

EAP-GmbH
für erweiterte ambulante
Physiotherapie und
Co. Verwaltungs-KG
Klaus Uelschen
Fridastr. 26
30161 Hannover
Tel. 05 11/46 22 46

MD REHA GmbH
Zentrum für Rehabilitation und
Physikalische Therapie
Martin Sanne
Friedrich-Ebert-Str. 68
39114 Magdeburg
Tel. 03 91/8 11 00 68

PLZ 4:

SRC Centrum für ambulante Rehabilitation Mönchengladbach GmbH & Co. KG
Dr. Andrea Coenen
Rathenanstr. 6
41061 Mönchengladbach
Tel. 0 21 61/92 34 23

ORTHOMED GmbH
Medizinisches Leistungs- und Rehabilitationszentrum
Klaus Kraft
Strobelallee 58
44139 Dortmund
Tel. 02 31/9 12 33 00

PLZ 5:

IFS Privat-Institut für Sportrehabilitation
Harald Ernst/Ernst Breitung
Josef-Haubrich-Hof 3
50676 Köln
Tel. 02 21/23 69 92

Ambulantes Reha- und Gesundheitszentrum Mainz-Mombach GmbH
Rheinallee 183
55120 Mainz
Tel. 0 61 31/68 71-07

PLZ 6:

PROREHA Therapiezentrum GmbH
Sportmedizinisch-orthopädische Therapie
Dr. med. Joost Runzheimer
Friedberger Anlage 31
60316 Frankfurt/M.
Tel. 0 69/44 24 34

REHAMED Heidelberg GmbH
Zentrum für ambulante Rehabilitation
Susanne Jung-Fromm
Kurfürstenanlage 43-45
69115 Heidelberg
Tel. 0 62 21/9 75 70

PLZ 7:

Rehamed GmbH
Sport und Rehabilitation
Dr. Nikolaus Schleicher
Maybachstr. 42
70469 Stuttgart
Tel. 07 11/13 53 20-0 (15)

PLZ 8:

THERASPORT GmbH
Praxis für Krankengymnastik/Rehazentrum
Frank Scholz
Nymphenburgerstr. 1
80335 München
Tel. 0 89/59 49 70

Service Adressen

Therapie- und Trainingszentrum Friedberg
Link/Ratuschny
Thomas-Dölle-Str. 16
86316 Friedberg
Tel. 08 21/60 89 120

PLZ 9:

Rehazentrum Valznerweiher
Hannspeter Meier
Valznerweiher Str. 200
90480 Nürnberg
Tel. 09 11/40 40 68

Ambulantes Rehazentrum am Pflegtor
Artur Frank
Pfleggasse 31
94469 Deggendorf
Tel. 09 91/88 38

Falls keine der Adressen in Ihrer Nähe ist, wenden Sie sich an:

Zentralverband ambulanter Therapieeinrichtungen Deutschland e.V. ZAT
In der Aue
61231 Bad Nauheim
Tel. 0 60 32/7 20 33
Fax 0 60 32/7 20 34
Oder im Internet unter
www.zat-deutschland.de

Österreich:

Verband der diplomierten Assistentinnen und Assistenten der Physiotherapie
Köstlergasse 1/29
A-1060 Wien

Schweiz:

Federation Suisse de Physiotherapeut
Oberstadt 11
CH-6204 Sempach/Stadt

Register

Service Register

Register

Impressum

Die Autoren
Christof Baur und Bernd Thurner sind Diplomsportlehrer für Prävention und Rehabilitation und arbeiten am Therapie- und Trainingszentrum in Friedberg/ Augsburg.

Wichtiger Hinweis
Die im Buch veröffentlichten Ratschläge wurden mit größter Sorgfalt von den Verfassern und vom Verlag erarbeitet und geprüft. Eine Garantie kann jedoch nicht übernommen werden. Ebenso ist eine Haftung der Verfasser bzw. des Verlags und seiner Beauftragten für Personen-, Sach- und Vermögensschäden ausgeschlossen.

Genehmigte Lizenzausgabe für Verlagsgruppe Weltbild GmbH, Steinerne Furt, 86167 Augsburg

Die Originalausgaben erschienen unter dem Titel *10-Minuten-Workout für einen straffen Bauch* und *Trainingsprogramm Starker Rücken* im Midena Verlag, München
Umschlaggestaltung: Vierthaler & Braun, München
Umschlagmotiv: jump Fotoagentur
Fotos: gettyone Stone/ C. Craymer S. 4; A.Käflein S. 58, 59, 61, 62, 63, 66, 68, 69, 70, 71, 73; alle übrigen Silvia Lammertz, München; Haare/Make-up: Tinka Luptakova; Mode: C&A

Gesamtherstellung: Offizin Andersen Nexö Leipzig GmbH – ein Unternehmen der Union Verwaltungsgesellschaft, Spenglerallee 26–30, 04442 Zwenkau

Printed in Germany

ISBN 3-8289-1991-X

2006 2005 2004 2003
Die letzte Jahreszahl gibt die aktuelle Lizenzausgabe an.

Einkaufen im Internet:
www.weltbild.de